VA-T'EN MAIS
RESTE ENCORE

Donatella Caprioglio

VA-T'EN MAIS
RESTE ENCORE

Se séparer de nos enfants

Traduit de l'italien par Danielle Bouaziz

HACHETTE
Littératures

Pour l'éditeur, le principe est d'utiliser des papiers composés de fibres naturelles, renouvelables, recyclable et fabriquées à partir de bois issus de forêts qui adoptent un système d'aménagement durable.
En outre, l'éditeur attend de ses fournisseurs de papiers qu'ils s'inscrivent dans une démarche de certification environnementale reconnue.

ISBN : 978-2-01-237234-4

© Hachette Littératures, 2007.

Io resto con i piedi strettamente ancorati alla nuvole
(Je garde résolument les pieds dans les nuages)

Ennio FLAIANO

Pour Olivia

« Je voudrais te voir morte ! »

Cette violence verbale me blesse au plus profond de moi. D'une gifle, j'imprime toute ma rage sur son visage, ouvrant une digue qui libère l'aversion entre nous. Tous les rapprochements de ces derniers jours, les tourments, les mille suppositions, espoirs et appréhensions sont pulvérisés par ce geste. La complicité et la tendresse se désintègrent, et je sombre dans le tourbillon que j'ai créé. « Touchées et coulées » toutes les deux, elle dans sa haine qui me transperce par un regard assassin, moi dans l'impuissance et le désespoir d'être tombée encore une fois dans le piège de la provocation. Je sens toute sa colère retenue, car un geste violent de sa part inverserait les rôles et la laisserait sans défense. Nous sommes face à une tragédie que d'autres ont jouée et que d'autres joueront encore. Seulement, nous sommes les acteurs et nous ne pouvons pas quitter la scène.

Comment lui dire que cette gifle est justifiée et injuste à la fois ?

Elle est la répétition de mes humiliations passées et n'enlève rien à cet amour qui a pris un pli dément que je n'arrive plus à redresser avec mes mains. Cela n'a pas le sens qu'elle croit, je regrette, j'aurais préféré mille fois réussir à me contrôler et ne pas la blesser. Est-ce que ce sont mes paroles, le fait d'avoir parlé ou même d'exister, qui ont provoqué cette onde de choc, ou est-ce la matière hautement inflammable sur laquelle elles se sont posées qui a allumé l'incendie ?

Complètement anéantie, je me réfugie dans la baignoire en versant des larmes amères. Désirer que je meure est la pire malédiction que je puisse entendre, et je ne vois pas pourquoi je continuerais à supporter une souffrance qui me brûle. Cependant, dans le contact rugueux du peignoir de bain qui m'entoure, je retrouve un certain plaisir, et tandis que j'approche la main du flacon de parfum, j'ai le sentiment que grâce aux rituels quotidiens, cette fois encore, je resterai attachée à ce monde... Je ne m'en irai pas ! Je voudrais être plongée dans une mer calme et douce, lire un livre et ne rien faire. Une espèce d'ataraxie m'envahit, surtout en ce moment où mon démon de fille m'utilise comme réceptacle pour y jeter ses angoisses.

Revenir à Venise, dans sa maison, à vingt-trois ans, après avoir tenté de vivre dans trois villes différentes et changé de faculté, ne doit pas être facile pour elle. Je vois son sentiment d'échec, son désarroi dans la rage avec laquelle elle m'utilise comme exutoire à sa frustration. Est-ce que je dois l'accepter ? Oui, non, pas trop, avec une certaine distance, sans me laisser dévorer, sans lui donner l'impression ni d'une défaite ni d'une victoire. Je ne me sens pas préparée à la bataille, mais je réussis quand même, au prix d'une grande énergie, à lui imposer des limites, à la protéger de sa rage destructrice, de sa volonté de m'anéantir pour être enfin libre.

Libre de moi ?

Plus elle m'attaque, plus, paradoxalement, je sens qu'elle a besoin d'un miroir dans lequel se refléter, d'un écho à ses paroles et non du vide qu'elle doit avoir ressenti quand elle était la petite fille de parents séparés, avec une mère très occupée par son travail.

Absente, je l'ai été, par la nécessité vitale de me trouver, à travers un métier difficile et passionnant qui m'a demandé des années de formation et de déplacements. Je voulais sortir de l'image codifiée des femmes de ma famille, comblées par la maison et les enfants, m'émanciper du regard réducteur de mes parents qui faisaient abstraction de mes désirs et de mes capacités intellectuelles. Efforts qui m'ont épuisée et dont je me serais bien passée.

Ce sont ces efforts qu'elle ne comprend pas. Elle semble apparemment n'en faire aucun, et je m'évertue à les lui enseigner, mais elle me regarde comme on regarde une folle, et peut-être le suis-je car, pour moi, inévitablement, tout doit passer du désordre à un ordre conquis.

« Souviens-toi que la vie est difficile », me disait mon père quand j'avais son âge. J'avais perçu cela comme une bombe dans mon enthousiasme. Est-ce qu'il voyait en moi les mêmes choses que je vois maintenant en elle ? Est-ce qu'il voulait me mettre en garde, me protéger, me prévenir ? Avide de découvertes, je voulais visages et paysages nouveaux.

Je voulais voler.

Elle, au contraire, semble avoir peur de la vie, elle change de ville sans y habiter vraiment, d'université, d'amis, et revient à la maison quand elle devrait prendre son envol. Il lui manque une plate-forme stable pour prendre appui et être sûre de ne pas tomber. Lui ai-je manqué à ce point ?

Pendant que je rumine, le téléphone sonne et je vois son numéro s'afficher. « Ciao... Écoute, je dois avoir un entretien pour un éventuel travail, tu penses que ma robe rose ira bien ? »

Voilà ! Toute la tempête d'il y a une heure semble engloutie dans les entrailles de la Terre. Si je m'étais suicidée dans la baignoire, cela aurait été parfaitement inutile, car après m'avoir répudiée elle me demande conseil. Alors, je pense que la matière d'un parent est semblable à ces rouleaux de réglisse que j'adorais quand j'étais enfant, et qui s'enroulaient sur eux-mêmes, exactement comme les sculptures de la coupole de la Salute à Venise. Une consistance souple, avec une saveur inaltérable dans le temps.

Attaques de panique

Tout a commencé au début de l'été par un coup de téléphone. Le matin elle avait quitté Venise en prenant le train pour Bologne, sa ville universitaire. À l'arrêt de Padoue, elle est descendue pour m'appeler. « Maman, me dit-elle en larmes, j'ai des palpitations, je crains de faire un infarctus, j'ai peur de mourir. » Je cherche à la tranquilliser, mais je sens, comme seules peuvent le sentir les mères, qu'il s'agit d'une chose grave. D'habitude, elle ne demande pas d'aide, pourtant, ce jour-là, elle est réellement paniquée. Ma réponse est immédiate : « Reviens tout de suite, tu as besoin de ta maison. » Pour la première fois, elle n'objecte rien, et semble soulagée par la fermeté de ma décision. Un équilibre fragile s'est fissuré ; cette peur qui se met au jour, nous devons la regarder en face parce qu'elle n'y arrive pas seule.

Je la vois revenir avec un tas de vêtements chiffonnés comme l'est son visage ce jour-là. Je sais bien que ce n'est pas un mal physique qui l'atteint mais plutôt qu'elle est perdue dans ses désirs. C'est le énième joint de la journée qui a provoqué cette crise, j'en remercie l'effet paradoxal, espérant que ce soit la fin d'une époque de fuite, d'une d'insécurité latente, noyée dans une fumée solitaire. Un remède à l'angoisse d'affronter la vie d'une jeunesse qui se retrouve sans rêve. Impossible de la faire raisonner, je sens qu'elle doit sortir de ce cercle vicieux et je ne vois pas l'issue.

Je me doutais depuis longtemps qu'elle fumait, à cause de ses explosions de colère à tous mes commentaires, de sa difficulté à organiser sa vie, de sa peur et de sa solitude sociale. Étrangère dans sa ville natale qu'elle avait quittée trop vite pour devenir prisonnière de froides chambres d'étudiants, dans des lieux inconnus. En trois ans, je suis allée la voir dans trois villes différentes. En changeant de faculté, elle pensait que recommencer de nouvelles études lui permettrait de s'adapter ; cependant, chaque fois, je respirais sa propre tristesse camouflée par des lampes indiennes et je rentrais avec la sensation d'un abandon. Ce que j'éprouvais était sûrement ce qu'elle vivait et j'aurais dû comprendre et réagir avant, mais elle ne l'aurait sûrement jamais accepté. Je ressentais la culpabilité de m'être séparée de son père et de l'avoir destinée à une vie différente de celle dans laquelle elle était née. Peut-être aussi ai-je voulu lui laisser cette liberté dont je n'ai jamais joui. Je me rends compte maintenant que le jeu des projections est létal, il enferme les enfants dans un parcours télécommandé par notre désir qu'ils font leur, par amour pour nous.

Le joint, rite d'initiation sociale, devient médicament contre l'angoisse individuelle, un calmant pour le malaise, un nuage de fumée qui trouble et atténue la vision de la vie. Nos enfants restent accrochés à la désolation, dans des chambres qui reflètent leur état émotionnel, en colère contre qui voudrait les voir dynamiques et souriants, capables seulement de nous transmettre l'angoisse qui leur tient au corps. Et nous, nous désespérons, qui dans les cris, qui dans le dialogue, cherchant à endiguer notre incapacité à les aider, nous demandant où est l'erreur et que faire. Même les plus clairvoyants sont perdus ; pourquoi après tant d'amour sommes-nous récompensés de cette façon ? Est-ce le reflet de ce qu'ils perçoivent de leur réalité et non de la nôtre, faite d'une autre matière ? Une réalité qui, au moins, leur appartient ?

Maintenant que je la vois tremblante et en difficulté, je comprends que ce qui arrive est un message finalement clair. Son symptôme, les palpitations, a provoqué une peur tellement grande qu'elle a abouti à la panique. L'angoisse atténuée par les joints a paradoxalement explosé. Inconsciemment elle est allée à l'extrême pour faire sortir la bête de son cœur. La douleur qui accompagne la panique est atroce parce qu'elle donne l'impression d'une mort imminente. C'est une mort de souris en cage, traquée et ne trouvant pas d'issue, une asphyxie mentale par incapacité de maîtriser une terreur folle. Un état de grande fragilité qui transforme la vie de chaque jour en véritable enfer, semblable à la perte totale de toute sécurité, à celle que peut ressentir un petit enfant qui ne trouve plus sa mère. La chose étrange est que cette folie peut arriver à tous, même aux gens dits normaux, perdus dans leurs désirs, s'ils n'ont pas voulu ou pas pu s'écouter à temps. Nous sommes faits comme la terre, et de temps en temps nous devons laisser sortir les émotions enfouies, faire comme les volcans qui équilibrent le dedans et le dehors, à défaut de quoi arrive la fracture, le tremblement de terre, qui nous laisse effarés et sidérés.

C'est cet état de fragilité que je vois quand je l'accueille, et nous allons ensemble à l'hôpital qui a pour fonction première de la rassurer, l'apaise un peu. Pendant qu'on lui pose les électrodes pour voir comment son jeune cœur fonctionne, je cherche à retrouver mon calme pour prendre les décisions les plus justes, parce que cette fois l'erreur n'est pas permise, son symptôme est à comprendre à fond, surtout, ne pas le transformer en maladie. Je demande l'avis de son père qui vit dans une autre ville. Il semble épouvanté et en devient rigide, il ne comprend pas ma décision irrévocable de la faire revenir à la maison. À partir de ce moment-là, il ne me parle plus, il m'attaque en pensant que je cède à un caprice ; mais c'est une erreur parce que j'aurais besoin de son soutien, et elle, de voir ses parents unis dans un moment de difficulté.

J'agis donc seule en demandant à ma fille de rester à Venise, en lui conseillant un psychiatre intelligent qui saura aborder et comprendre avec elle son problème de dépendance toxique, et un psychothérapeute pour son malaise intérieur. Je crains que la peur ne s'installe et que ne se crée le cercle vicieux de l'animal piégé par lui-même. Peut-être que des médicaments seront nécessaires. Elle revient de la consultation avec un programme thérapeutique qu'ils ont élaboré ensemble, des gouttes qu'elle devra apprendre à doser. Pour le thérapeute de l'âme, je la laisse chercher. Elle choisit une femme douce et compétente qui accepte d'accueillir sa souffrance. Un couple thérapeutique qui sera une référence, un soulagement, et qui, j'espère, nous aidera tous. C'est un début.

Ses études sont suspendues, ainsi que tout le reste...

Je suis consciente que nous sommes en train de jouer toutes les deux une partie réparatrice que nous n'avons pas le droit de perdre. Maintenant, elle est passée au premier plan, je sais qu'il ne sera pas facile de nous retrouver, après des années de solitude réciproque. J'annule mes engagements, ce que je n'ai jamais fait depuis sa naissance. Rien, finalement, plus rien n'a d'importance sauf être près d'elle.

Temps d'attente

C'est à la montagne, dans un hôtel appelé « Sole Paradiso », que j'ai appris que j'attendais mon bébé. Des fenêtres du restaurant, je voyais tomber lentement la neige et je savais qu'à notre retour dans la chambre nous aurions le résultat du test. Nous voulions nous laisser encore un temps d'attente pour une chose qui nous était inconnue, comme si à l'étage au-dessus il y avait une réalité qui nous attirait, nous effrayait et que nous devions prolonger le moment d'entrée dans une autre dimension. Nous nous sommes serrés fort, pleins d'amour et de crainte, et il n'y eut pas de grossesse plus belle et plus partagée. Un temps de liberté suspendu, pour laisser à l'écart tout le reste et le remplir lentement de tout ce qui nous passait par la tête.

Temps d'attente

La nuit, j'approchais mon ventre qui grossissait peu à peu de celui de son père pour partager aussi physiquement ce changement. Je voulais qu'il sente dans son corps, à travers le mien, la lente évolution, pour sortir de la fausse idée que seules les femmes peuvent comprendre. Nous restions silencieux à écouter l'écho de son discours par l'ébauche de ses mouvements.

Une heure avant sa naissance, nous nous sommes embrassés, pleins d'amour et de crainte, parce que là, on ne pouvait plus tergiverser et, dans une chambre d'hôpital, par une chaude après-midi de septembre, nous sommes sortis du rêve pour entrer dans une nouvelle conscience.

Compulsion

C'est une belle journée d'août, rafraîchie par un orage qui n'a pas réussi à emporter ma difficulté à respirer. Je voudrais un peu de paix dans ma vie qui, brusquement, a été complètement bouleversée. Je suis prise d'une compulsion d'ordre et de ménage qui décharge, à travers des tâches domestiques, le poids que j'ai sur le cœur.

Elle est sur le divan, téléphone par terre, télécommande de la télévision à côté du guéridon, médicaments et cigarettes dans un étui à côté de l'oreiller. Cela fait des jours qu'elle dort dans le salon, à côté de ma chambre, et non dans la sienne qui est à l'étage au-dessus. Elle s'y sent plus en sécurité après une nouvelle attaque de panique. Le monde extérieur lui fait peur et la fait fuir. Elle dose ses gouttes comme sans doute auparavant elle roulait un joint, au moins cette nouvelle dépendance n'a pas la connotation de la solitude mais d'un programme partagé avec quelqu'un dont elle reconnaît la compétence. Maintenant elle n'est plus seule et un filet de sécurité a été installé pour la soutenir.

J'accepte son besoin de proximité et de protection, mais j'ai du mal à tolérer la confusion qu'elle provoque et qui me perturbe. Il est évident que, dans la frénésie avec laquelle j'élimine la moindre poussière, je m'accroche – d'une manière même pathétique à en juger par la façon dont elle me regarde – à une répétition qui me rassure à un moment où il y a tant de choses que je n'arrive pas à contrôler. Je me répète que personne ne peut lui apprendre à vivre, mais je continue quand même à chercher mille hypothèses à lui proposer. C'est un effort vain car elle n'est pas en état de pouvoir choisir, il lui suffit de ce minimum vital : un divan qui nous a suivies dans tous nos déménagements et qui porte en lui la mémoire de la maison où elle est née. C'est de son histoire qu'elle a besoin. Elle y reste tenacement blottie, comme un bébé dans son berceau, avec tout autour le monde à ses pieds, moi en premier.

Je réussis à avoir un comportement qui s'adapte à ses exigences, même si je fais des rêves dans lesquels j'achète des appartements grands et vides pour après me sentir perdue dans des lieux qui ne me correspondent pas. Je dois être un peu égoïste pour affronter avec énergie cette nouvelle situation, même si ce mot a pour moi une connotation de culpabilité dont je voudrais me libérer une fois pour toutes. Je sens le poids des responsabilités à son égard et durant ces jours où je la vois dormir enfoncée dans le divan, il me vient à l'estomac une sensation de tendresse déchirante. Sa totale dépendance d'aujourd'hui me contraint à adopter un comportement à l'opposé de ma nature, à la possibilité de réparer peut-être cette fuite perpétuelle qui a pris racine dans mon adolescence, vis-à-vis d'une mère que je voyais envahissante, aliénant mon existence. Sa souffrance que j'ai devant les yeux reflète ma difficulté à avoir été un point fixe pour elle. Je la ressens comme une demande explicite de modifier mon panorama intérieur, de me libérer de mes peurs anciennes et enfin d'être complètement disponible.

La faute

C'est une amie malveillante, qui ne m'a rien dit sur le moment, mais qui, des années plus tard, m'a fait comprendre que ma fille, enfant, avait été témoin et victime d'attitudes exhibitionnistes de la part d'une personne de la famille. Il s'agissait d'un parent en difficulté que j'avais accueilli pour l'aider et qui m'a remerciée de cette façon. Je voyais bien que sa présence la gênait, mais je n'imaginais pas que derrière son rejet se cachait un secret presque toujours impossible à dévoiler pour qui le subit. Quand je l'ai su, je suis restée prostrée dans la faillite de ma protection. Heureusement, nous avons pu en parler. Pour elle, après le silence, ce fut un soulagement de me déverser sa rage, en me laissant le devoir de régler les comptes avec la personne qui avait trahi notre confiance et avec moi-même.

À travers cela, j'ai compris son adolescence difficile et la persistance, encore maintenant, de cette aigreur à mon égard, ce non-recours à la tendresse qu'elle brandit comme l'étendard d'une guerre permanente. J'ai l'impression que l'agressivité et la culpabilité qui se sont insinuées entre nous servent à maintenir le lien, et resurgissent d'une façon perverse à chaque perspective de séparation. Elle n'arrive pas à cheminer seule parce que je ne l'ai pas assez protégée, et moi, écrasée par cette insuffisance, j'encaisse ses attaques furieuses et je n'arrive pas à lui poser des limites.

Nous devons sortir de cette dynamique infernale qui joue à cache-cache avec la faute. Ce sont des choses qui, malheureusement, peuvent arriver à tout le monde, même avec la plus grande vigilance, et on ne peut se protéger complètement du mal. Il faut que je me libère de ce poids écrasant pour ne plus donner prise à ses attaques qui l'enferment dans une prison de rancune. En me libérant une fois pour toutes, elle sera libre. Vais-je y arriver ?

Le désir des autres

J'ai mis cinquante ans pour me détacher des attentes vraies ou présumées de mes parents, et je me demande à quel point les nôtres pèsent aujourd'hui sur elle. Je l'écoute me dire qu'elle veut nous faire plaisir, à son père et à moi, et comme nous sommes aux antipodes l'un de l'autre, j'imagine que ce doit être pour elle un dilemme terrible. Lui dire de faire ce qu'elle sent serait enfoncer le couteau dans la plaie, parce que c'est son désir qui est confus. Je la vois comme un petit oiseau en cage qui se débat pour trouver la porte de sortie. Je reste silencieuse, je sais que ce n'est pas ma présence physique qui la dérange, mais plutôt ce qu'elle présume de mes pensées et qu'elle voudrait débusquer.

Toutes ses tentatives d'autonomie ont fait faillite, jetant aux orties le peu d'estime qu'elle avait d'elle-même. Université bloquée, permis de conduire raté, amours tourmentées. Je cherche dans une fonction maternelle de base à subvenir à ses besoins élémentaires, une méthode à laquelle je m'accroche et qui me fait me sentir indispensable. J'écoute les conseils de mes amis oubliant que, par mon métier de thérapeute, je devrais être experte, et pourtant je continue à me sentir perdue. J'entends les mêmes difficultés dans des familles dites normales. Je vois les mères des garçons un peu moins préoccupées, elles sont plus protectrices et douces même si le double lien qui unit mère et fils présente un risque plus sournois. Je parle avec des pères qui voient chaque tentative d'autorité balayée et qui ne savent plus ce qu'il est juste de faire.

Je me rends compte qu'il n'y a ni philosophie, ni psychologie, ni pédagogie qui compte, je dois retrouver mon intuition, et cela, je peux le faire seulement si je ne tombe pas dans le piège de ses provocations féroces qui font écho à ma culpabilité, de ses phrases assassines au fond de vérité corrosive qui produit en retour une onde de choc d'égale intensité. Si elle m'attaque, cela signifie qu'elle est encore attachée. Au fond, elle m'aide à m'oublier, pour me faire entrer dans l'unique rôle dont elle a besoin maintenant, celui de mère. De toute façon, les mères ne sont-elles pas toujours coupables ?

Autre génération

Les pères – qui sait pourquoi ? – ont droit à
des arrangements moins drastiques. Le mien a été
une référence plus extérieure, presque une autre
dimension, sans marque d'affection évidente à partir du moment où je suis devenue une jeune fille,
et comme telle, confinée dans le monde féminin.
Cependant, nos affinités étaient réelles, et encore
aujourd'hui je me demande comment aurait été
notre vie s'il y avait eu un peu plus de confiance,
un peu moins de pudeur, un peu plus de courage
de notre part à tous les deux pour découvrir la
dimension secrète de l'autre.

La perte des marques d'affection de la part du
père, au sortir de l'enfance, crée un malentendu,
celui de ne pas être aimé au moment où l'estime
de soi doit se construire. La lecture erronée des

émotions peut conduire à des batailles inutiles, uniquement par peur de ne pas être accepté. Le savent-ils, les pères qui condamnent leurs filles à chercher chez les autres hommes des succédanés de caresses perdues trop tôt ? C'était un problème générationnel ; à l'époque ils étaient éduqués à inhiber leur côté émotionnel pour devenir « principe normatif ». Maintenant les enfants ont des parents trop « copains » qui redoutent d'être contestés par peur de ne pas être aimés. Ils grandissent gâtés et pleins d'une sécurité apparente, extrêmement fragiles dans le noyau de leur identité, avec des mères et des pères qui restent adolescents.

Il est évident que les angoisses de ma fille sur ce qu'elle fera plus tard font écho aux miennes, moi qui, dans la cinquantaine, me sens encore en devoir de penser d'autres projets de vie. Aberration et délice de notre époque de *sempreverdi* [1] ; si ma mère se déprimait à mon âge, moi je dois donner l'assurance d'une longue vie et surtout de mon autonomie. Nous sommes des parents encore jeunes et dynamiques qui n'ont pas le droit de se sentir fatigués, avec des enfants qui ont des difficultés à trouver leur indépendance.

---

1. « Toujours verts ».

Autre génération

Quand j'étais jeune, ma mère me poussait à l'autonomie car ses interdits étaient tellement absurdes que maintenant ils feraient rire ; les nôtres aujourd'hui semblent rétrécis comme un pull-over lavé à quatre-vingt-dix degrés. Il reste à nos enfants l'énorme liberté qu'ils ont conquise en jouant avec les règles de leur époque et avec notre faiblesse. Ma fille me dit que je suis une professionnelle compétente mais une mère déficiente, et tout l'effort de ma génération s'envole comme de la poussière soulevée par le vent. Elle sait pourtant à quel point j'aime le travail et combien j'ai cherché à lui inculquer l'indépendance de la pensée et la rigueur. Si elle m'attaque dans mon rôle de mère maintenant qu'elle doit trouver sa voie, c'est pour avoir un alibi devant sa peur de choisir. Si elle est fragile, c'est de ma faute, et si je tombe dans le piège, elle tourne en rond sans trouver la bonne direction. Je devrais mettre à distance mes émotions tout en restant physiquement proche d'elle, et retrouver peut-être un peu l'humour qui pour l'instant est tombé dans mes chaussettes.

Et si j'achetais un punching-ball en écrivant dessus « La mamma a toujours raison » ? Comme ça, pour le plaisir.

Le sens de la répartie

Cet être qui maintenant m'attaque comme un chien enragé m'a charmée dès son plus jeune âge par ses réparties d'une étonnante capacité de jugement. Ce fut spectaculaire le jour où, en lui présentant un ami, je lui dis : « Il me semble normal, qu'est-ce que tu en penses ? » Elle me regarda droit dans les yeux et rétorqua : « Il te semble ? » Plus tard, il s'avéra être incroyablement pervers. Une autre fois, au sujet de quelqu'un qui me paraissait séduisant, elle lâcha, dubitative : « Sympathique, oui... Mais est-ce qu'il est intelligent ? » Une seule parole et c'était sans appel pour quiconque.

Cet esprit d'à-propos a fait illusion. Pensant qu'elle comprenait mieux que moi, j'ai voulu voir de l'assurance là où, par son humour, elle cachait ses faiblesses.

Le choix impossible

C'est en la voyant déplacer de gros livres de biologie et de chimie du salon à la cuisine, comme des briques non utilisées restant de la construction d'une maison, que j'ai compris qu'elle était dans une impasse. Je lui ai posé un ultimatum, lui disant qu'il valait mieux travailler plutôt que perdre la dignité du savoir. Je savais qu'elle se débattait avec le désir de nous contenter, son père et moi, et cela justement la bloquait. Au début, elle s'était inscrite en faculté de lettres, à Rome, dans l'optique d'écrire des scénarios pour le cinéma qui la passionnait. La grande ville et le côté flou des études et de l'ambiance l'avaient vite découragée.

Elle avait ensuite, contre l'avis de son père, commencé des études de psychologie à Florence, matière dans laquelle elle excellait. Nouvel abandon pour finalement choisir médecine à Bologne, comme son père le souhaitait, mais elle n'avançait pas dans cette voie.

L'échappatoire d'un petit travail lui a ouvert le cœur et a comblé son passage à vide. Elle a cherché et trouvé, tenace, elle s'est appliquée, avec des horaires très durs et un petit salaire, et cela lui a permis de décider, au bout de six mois, de poursuivre ses études. Elle a retrouvé son propre ressenti, écouté ce qu'elle avait réellement envie de faire sans se laisser influencer par quiconque.

Elle veut laisser tomber médecine, reprendre psychologie à Padoue pour se rapprocher de Venise. Dommage, j'aurais préféré que son choix ne soit pas lié à la souffrance humaine. Je n'ose rien dire, mais son père, pensant que je la conditionne, s'en prend violemment à nous deux, en nous traitant de folles.

Dans le tourbillon des jours à humeurs alternées, des idées plus persistantes ont commencé à se dessiner et, la sachant encore peu adaptée à la réalité, j'ai décidé de l'accompagner à Padoue, sa nouvelle ville universitaire, pour voir ensemble les démarches à accomplir. Elle a accepté ma proposition avec hargne, comme si j'entrais dans son royaume privé et lui enlevais la joie d'une conquête. Aux premières lueurs de l'aube, je me suis demandé si je la laissais aller seule ou si je devais être auprès d'elle. Sa paresse qui reporte tout au lendemain m'apparaît de plus en plus comme une inhibition, et me convainc d'une action en force, qu'en d'autres temps je n'ai pas voulu mener. Il serait sans doute plus juste de dire que je n'en avais pas le courage, pensant qu'écouter était nécessaire et suffisant. Mais ai-je bien fait de la laisser trop libre si le résultat est celui-là aujourd'hui ?

Nous sommes des parents qui ont vécu un régime autoritaire dans lequel on ne pouvait se soustraire au non, et au moment où nous devons le dire à nos enfants, nous sentons encore sur nous le poids et l'injustice du passé. Nous avons également préféré parler aux enfants tout petits qui n'ont pas encore la structure mentale pour comprendre la logique d'un discours, mais qui ont l'intuition qu'au fond de nous, nous ne voulons pas et ne savons pas leur donner des limites. Alors ils vont mal, parce qu'il n'y a rien de pire pour un enfant que de se retrouver seul à décider. Les enfants savent-ils que nous avons des peurs, incertitudes et doutes terribles sur les positions à prendre ? Que nous tremblons de notre fragilité en pensant que c'est la leur ? Bien sûr ils ne veulent

pas le voir, parce que le spectacle de notre instabi-
lité est celui qui les terrifie le plus et les met en
colère. À moins de devenir pour nous des pères et
des mères, se privant pour toujours de l'insouciance de la jeunesse.

Université

Pendant que je l'attends sur un *campo* de
Venise et que j'écoute une amie me parler de ses
amours, je pense aux probabilités que j'ai de la voir
arriver et de prendre le train avec elle pour Padoue.
Je mange consciencieusement la roquette et la
mozzarella, cherchant à sentir le parfum du vin
frais, mais il est évident que mon rythme est
déréglé, j'ingurgite de l'air qui dilate mon estomac
et crée une brûlure.

Je la vois arriver, mignonne dans sa démarche
un peu orientale, très différente de celle que j'ai
laissée ce matin enfoncée dans son divan, et je note
une certaine recherche et originalité dans le
mélange du petit sac de sa grand-mère avec un
pantalon d'odalisque. Elle ne me sourit pas, ignorant qu'il suffirait de pas grand-chose pour faire se

détendre toute mon existence, mais je fais semblant de rien, car sa présence est déjà une victoire. Nous marchons côte à côte, embarrassées par nos pensées, avec entre nous le fil ténu de l'affection. Elle me demande d'une voix neutre si son petit sac me plaît, jetant ainsi une bouée de sauvetage. Je m'y agrippe bien fort et nous partons dans une conversation légère dans laquelle toutes les deux nous reprenons notre souffle.

Un train glacé par l'air conditionné nous congèle dans un lourd silence d'attente. Son téléphone sonne continuellement, et je perçois des bribes de mots amoureux et de préoccupations de manque d'amour. Cet objet est une présence inquiétante dans sa vie, un vrai fétiche dont elle ne réussit pas à se séparer. Pas une conversation entre nous qui ne soit interrompue. Elle change de posture pour se créer au milieu des autres une cabine immatérielle et se garantir une intimité qui me semble un pur délire.

Nous arrivons dans une ville asphyxiée de chaleur, et pendant que nous longeons la gare, je vois des vendeurs de drogue au bord de la route. Je la prends par le bras et, d'instinct, je marche plus vite. Elle se met à rire de ma peur, et dans cette inversion des rôles où je suis l'enfant et elle la grande, elle reprend des forces et fait baisser la tension. Nous entrons ensemble dans le secrétariat de l'université, une pièce spacieuse qui accueille dans des stands séparés les représentants de chaque département. Nous prenons un ticket et attendons notre tour.

Je regarde autour de moi, tout semble facile et mécanique, bien différent de la petite pièce désordonnée de mes souvenirs, avec ce couple de secrétaires en uniforme bleu, bourrus et bienveillants. Nous tous, étudiants, dépendions d'eux pour les inscriptions, les conseils, la description de la sévérité ou de la bonté du doyen, la remise du livret pour la reconnaissance d'une identité qui s'ébauchait. Je me souviens parfaitement de leurs visages et très peu de ceux des professeurs. Nous avions trouvé dans ce couple des substituts de parents qui nous donnaient l'attestation de notre indépendance. Comment font les enfants aujourd'hui, avec ces bureaux froids, pour structurer leur parcours, sans l'aide d'une odeur d'encre, d'une parole avenante ?

Je vois défiler les numéros, le nôtre nous garantit une longue attente que j'utilise pour étudier l'ambiance et la secrétaire de son département, parce qu'il ne s'agit pas simplement d'une inscription, mais aussi du passage d'une université à une autre, d'un changement de ville, d'une validation d'examen. Je la regarde attentivement et tout d'abord je la sens hostile et froide, puis j'observe qu'elle accorde de temps en temps un regard amical. À la fin, je veux la voir tellement humaine que je l'imagine cuisinant des blancs de poulet et emmenant le dimanche sa mère au restaurant. Une belle personne en somme, compréhensive et patiente qui, j'espère, accueillera notre recherche complexe avec un esprit ouvert et léger. Je la préfère à la secrétaire des scientifiques au regard glacé de Brigades rouges et à celle des vétérinaires qui ressemble à un furet abandonné attendant que le prédateur arrive. Un accord affectif me semble indispensable, cette situation me transporte trente ans plus tôt dans cette même ville et dans cette même faculté où je suis venue faire mes études. Elle nous écoute en fait avec condescendance, je dirais presque avec affection ou peut-être est-ce moi qui veux à tout prix le croire, dans ce lieu qui me désoriente. Nous repartons avec l'impression de voir un peu plus clair dans ce parcours compliqué.

Je suis contente d'être venue avec elle et le lui dis spontanément, sans me rendre compte que j'allume la mèche de l'intolérance à sa dépendance. En une minute, tout l'équilibre construit se désintègre en une avalanche de récriminations absurdes, elle m'accuse d'être trop sur son dos, d'avoir été trop absente, de ne pas avoir un espace suffisant pour travailler et finalement de vivre dans une maison minable. Et c'est là que je bondis, pour cette phrase qui n'est pas d'elle, mais qui vient de la colère de son père envers moi. Non, je ne veux pas soutenir une fille gâtée qui se perd dans la reconnaissance des affects. Impulsivement, je lui dis d'aller chez lui si ce que je lui offre ne lui plaît pas, mais c'est justement ce qu'elle ne voulait pas entendre. Elle s'en va après m'avoir insultée, et je me retrouve seule sur l'asphalte brûlant avec le regard des passants ameutés par les cris qui me colle au corps.

Sans voix, sans force ni dignité, je constate amèrement que nous sommes dans une répétition, je suis sa cible, sa victime et je me demande ce que je dois faire.

Il est impossible d'être ensemble, de trouver la bonne distance. Trop près, elle se sent envahie et craint de perdre son identité, trop loin, elle ressent l'angoisse de ne pas être aimée.

Je me rends compte que je ne suis pas assez forte face à la peur de perdre son amour et, tandis que j'erre dans la rue comme une folle désespérée, il me semble vivre le découragement que l'on peut ressentir quand on est abandonnée par un homme.

Une telle intensité est-elle normale ? Peut-être, car maintenant elle est devenue le centre de ma vie. Défaite et seule, je sens me monter à la gorge une insidieuse sensation de colère et un sentiment très proche du goût amer de la haine.

Clair-obscur maternel

Que faire quand le refus prend le dessus sur l'amour et qu'une invisible disharmonie dévoile l'ambivalence de notre âme, quand le plaisir s'unit à la douleur, la bénédiction à la malédiction, la lumière du jour à l'obscurité de la nuit ? En nous les femmes, beaucoup plus que chez les hommes, se débattent deux subjectivités opposées parce que l'une existe aux dépens de l'autre. Une subjectivité qui dit « je » et l'autre qui est dépositaire de l'espèce. Le conflit entre ces deux faces de la même médaille est à la base de l'amour maternel, mais aussi de la haine maternelle car chaque enfant prend à sa mère une partie de sa liberté. Sacrifice de temps, corps et espace, carrière et amours autres que l'amour pour l'enfant. Cela veut-il dire que nous ne sommes pas en mesure d'aimer, ou que nos sentiments ne sont pas vrais ? La réponse consiste peut-être à accepter cette ambivalence comme l'explication naturelle de notre propre ressenti et à ne pas entrer dans la logique hypocrite des bons sentiments.

Nous sommes quelquefois seules dans notre maternité, avec des pères présents mais dépourvus de compréhension profonde, dans des noyaux familiaux qui deviennent au fur et à mesure plus asociaux, où à la gaieté se substitue très souvent un insidieux désespoir. Ce qui se passe à la maison reste enfermé et, quand on sort, on se garde bien de laisser transparaître les drames, les joies et les douleurs que nous vivons, derrière ses remparts protecteurs. Et cette intimité préservée, si elle est pour partie fondement de liberté, est très souvent facteur de désintérêt réciproque qui produit une certaine solitude, grossit les problèmes qu'une communication normale remettrait dans la juste dimension. Puisque nous avons exagéré cette sacralisation du privé, quelle joie peut-il y avoir si nous n'avons plus la possibilité de partager ? Et quand l'âme est vide et qu'aucune caresse ne rassure la détresse des mères, ne les console et ne les soutient, les pensées les plus terribles peuvent advenir. Nous avons besoin de ne pas nous sentir seules, de nous aimer et d'être aimées, pour supporter l'effort parfois surhumain des soins donnés à l'enfant. Nous avons besoin de l'homme qui nous protège de nos instincts de désespoir, qui élargit l'espace et nous rend libres de temps en temps, qui nous permet une distance pour maintenir une relation possible.

Cheval ou petit âne ?

Je vis des jours de bataille et de solitude, mais je suis décidée à rester sur le front. Elle mesure ma capacité de résistance, alterne moments de douceur et de tyrannie qui commencent à me faire entrevoir l'ampleur et la variabilité de son angoisse. Je sens qu'en lui imposant une limite, elle se détend et laisse tomber sa propre colère, en la rejetant comme une bouchée empoisonnée. Décidée à sortir du chantage de la culpabilité, je repousse avec plus de fermeté ses attaques, et immédiatement elle se calme, rassurée par cette attitude différente qui lui renvoie une force intérieure qui la contient. Mais ce n'est pas toujours facile parce que la préhistoire de nos affects nous demande un temps et un effort d'élaboration pour arriver à modifier nos réponses instinctives.

Cheval ou petit âne ?

J'ai besoin d'une idée pour rester à flot et m'y agripper en cas de naufrage.

L'occasion vient d'un petit cheval en plastique oublié par ma nièce et caché dans la boîte de la cassette vidéo d'*Alice au pays des merveilles*. Pourquoi l'a-t-elle oublié là ?

Quel trésor a-t-elle voulu cacher ?

En le faisant tourner entre mes mains, je me demande quel sens il peut avoir aujourd'hui. Il m'apparaît comme un personnage échappé de cette étrange histoire, peut-être un ami du lapin pressé. J'aimerais moi aussi entrer dans la magie de ce conte et me laisser transporter par ce petit cheval. Au fond, j'ai envie d'un ami à qui parler, sans craindre quoi que ce soit.

J'ai toujours conservé de l'enfance un esprit animiste, et c'est avec conviction que je pose le jouet devant l'entrée pour accueillir ma fille. Elle ne dit rien, mais sourit, amusée, quand, dans la chaleur étouffante de la terrasse, je le place sous les feuilles du basilic pour qu'il se rafraîchisse.

Petit à petit il commence à faire partie de notre vie malgré le regard pensif de mon ami. Cette dimension de jeu m'allège et réussit à créer un espace entre nous. Je dis au petit cheval des choses qu'elle écoute.

Un soir je la vois arriver avec un âne en peluche qu'elle s'est acheté en allant à la mer. Elle me le présente comme « Iodino », un diminutif de *Io* (je), une petite partie du Soi. Pendant que je le caresse, elle incline la tête comme si elle se préparait à recevoir ce geste.

La conscience de son besoin d'affection m'est alors immédiate, à fleur de peau. Grâce à Iodino, nous nous permettons des tendresses que nous n'arrivions pas à nous donner. Nous lui préparons un bain et lui découpons un petit peignoir, au milieu des expressions de plus en plus perplexes de notre entourage. Je suis sûre que quand elle était petite, je ne jouais pas comme aujourd'hui, avec le même plaisir et la même conviction. Il y avait toujours quelque chose à faire, un devoir qui stoppait le laisser-aller. Nous jouons réellement ensemble et je me rends compte qu'il y a longtemps que je ne me suis pas autant amusée.

Temps arrêté

Nous avançons à petits pas et Dieu seul sait à quel point j'aimerais sentir une certaine légèreté. Elle est la seule chose réelle qui me demande constamment affection et attention. Une petite fille dans le corps solide de ses vingt-trois ans. Un poussin dépourvu, secoué d'attaques de peur et en difficulté à grandir. Je la regarde dormir sur le divan du salon, Iodino à côté d'elle, l'expression sereine de me savoir là. Je la prends dans mes bras, elle se blottit dans le creux de mon épaule et se détend. Elle est comme un nouveau-né qui ne demande rien d'autre que d'être serré tendrement dans une chaleur et une odeur connues. Comment a-t-elle fait pendant toutes ces années où elle a vécu seule, pour satisfaire son besoin désespéré de sécurité ?

Je me sens coupable d'avoir confondu ses crises d'adolescente avec un besoin d'indépendance, de l'avoir laissée aller, la croyant capable de cheminer seule, et même d'avoir été soulagée par son désir de partir qui me rendait une certaine liberté. Réaction inverse à celle qu'avait eue ma mère, m'envahissant et créant en moi une fragilité opposée. À son âge, je voulais de l'air, elle réclame à travers sa demande de dépendance ce qu'elle sent ne pas avoir eu. Il n'est pas facile de sortir de la logique des contraires, d'ouvrir grande la porte si nous avons été opprimés, de redemander une présence si nous avons été lâchés trop vite. À moins de répéter à l'infini notre histoire familiale.

Elle est là, pas lavée, pas habillée, désordonnée et en difficulté. Elle attend comme un oisillon affamé que je pense à elle, que j'aille faire les courses et la nourrisse plus que nécessaire. Une boulimie affective qui fait finalement ressortir une faim antique. Je comprends tout, mais je sens encore mes résistances. L'*acqua alta* de Venise envahit ma porte d'entrée et m'empêche de bouger. Je me sens suffoquer dans une dépendance absolue qui m'est à la fois demandée et offerte.

Je reconnais finalement que mon besoin de fuir ma mère s'est étendu à elle, victime d'une asphyxie d'espace. Je la regarde, je vois l'injustice d'une répétition absurde et, avec une infinie reconnaissance, je comprends l'opportunité qui m'est donnée de changer mon histoire.

Examens

Puisqu'il y a à la maison un âne, Iodino, qui l'exempte de l'être elle-même, elle envisage de réintégrer la sphère du savoir. Elle décide de se réinscrire en psychologie ; pour cela elle doit passer un examen d'admission. Vouloir est déjà un grand pas.

Le matin, alors qu'elle va à Padoue pour passer cette épreuve, nous ne nous disons rien, mais je prie un dieu du ciel qu'elle ne soit pas déçue. Pour tromper l'attente j'achète des fleurs et des fruits, mais quand je vois le temps se prolonger, je commence à m'inquiéter. Si elle n'y arrive pas, je ne dois pas en faire un drame, mais que fera-t-elle de cette année ? Je revois en un éclair ces mois difficiles, sa peur de la solitude, la dépendance aux joints, les crises de panique, le choix de revenir à la maison, de retrouver son désir.

Est-il possible pour elle de rattraper ce qui n'a pas été accompli en temps voulu ? Est-il possible pour moi de donner aujourd'hui ce qui lui a manqué dans son enfance ?

Oui, peut-être, à condition de se laisser aller et d'avoir le courage de plonger, quel qu'en soit le prix. Nous avons déjà réalisé quelque chose, puisque, pour l'heure, elle est devant une commission afin d'affirmer un choix qui finalement est le sien.

Au milieu du pont *delle Meraveglie*[1], et le nom ne me semble pas un hasard, mon téléphone sonne et j'entends sa voix pleine d'émotion : « J'ai réussi, maman ! »

Elle m'annonce alors qu'elle a choisi le département de psycho-biologie.

Elle a réussi, nous avons réussi, j'embrasse mon ami qui a tant supporté et j'appelle sa grand-mère paternelle, qui a été une alliée indispensable et intelligente. Nous pleurons tous parce que la période noire, la succession d'échecs, est finie.

Au retour nous nous amusons comme des enfants à nous arroser avec le jet d'eau sur la terrasse ; nous sommes vraiment trempés et heureux. Depuis combien de temps n'avons-nous pas éprouvé une joie aussi intense ?

_____

1. « Des merveilles ».

De bon matin

Bruit de vaisselle. Elle est rentrée et il doit être tard. J'arrive dans la cuisine, son regard beau et affamé contraste avec le mien énervé et réprobateur. « Aujourd'hui c'est mon anniversaire », me dit-elle avec ironie, mais mon visage reste dur et figé. Je pose les questions absurdes de celle qui a oublié l'époque de l'insouciance ; à cinq heures du matin, cela est plus ou moins inutile, et je reste avec la stupidité de ma surprise en face d'elle qui engouffre en deux bouchées les gâteaux achetés pour la fête. Elle va se coucher en me donnant un petit baiser de consolation et je reste avec la brûlure de la solitude et le désir de retrouver moi aussi un temps que je ne voudrais pas révolu, le temps de l'amour, des longues conversations la nuit, de la nourriture partagée qui soutient la passion. Et en cette nuit qui s'achève, je tente de conserver aussi longtemps que possible la saveur d'une époque révolue, comme celle du café chaud qui descend lentement dans ma gorge.

Chaos

J'entre dans sa chambre qui est indépendante
à l'étage au-dessus et je la trouve envahie de vêtements entassés sur le lit, de papiers déchirés, de
chaussures dépareillées, de livres éparpillés. La
vision du monde des clochards me vient à l'esprit,
un espace libre comme celui de la rue, où ils vivent
entourés de sacs qui leur servent de cloisons fami-
lières. Ici, de familier, il n'y a plus rien. De la
chambre charmante qui semblait suspendue dans
le ciel, je ne vois que les murs couverts de signes
noirs et de bribes de phrases esquissées. Le désordre
et surtout la saleté sont tels qu'ils me laissent sans
souffle. Verres très fins de Murano remplis de
mégots de cigarettes, lingerie propre et sale jetée
sur la terrasse, bouteilles de vin vides, même ce
château-margaux que j'avais acheté pour une

bonne occasion. Je vois se refléter ma propre désolation dans le miroir plein d'empreintes de doigts.
Est-ce cela son monde intérieur, chaotique et
désespéré qui l'effraie tellement qu'elle est encore
obligée de dormir dans le salon, ou bien est-ce là
une tentative d'affirmer son opposition à l'ordre
maternel ?

Cherchant à me déplacer, non sans mal, je
décide de me mettre en apnée olfactive et visuelle.
Je m'en vais, traumatisée par ce spectacle, fermant
la porte derrière moi et résolue à ne plus mettre
les pieds dans un tel enfer. Je n'arrive pas à
comprendre si c'est moi qui suis fragile au point
de ne pas supporter ce désastre ou si c'est elle qui
est dans un état de confusion totale. Défilent alors
devant mes yeux cols de piqué amidonnés et chaussettes blanches, petites chaussures vernies et jupes
plissées. Ordre et propreté. Où est passée cette
petite fille ? Je n'arrive pas à avoir l'esprit aussi
large, j'admets la défaite et je reste butée et effrayée
en me faisant un chocolat chaud dans une belle
tasse de porcelaine blanche.

Pas à pas

Elle a encore du mal à sortir de la maison et de la ville pour aller à la faculté, à se faire de nouveaux amis. Elle crée des relations affectives extrêmement étroites par peur d'être abandonnée, qui se terminent toujours de façon explosive. De ses petits amis, elle exige un amour absolu, un rêve à deux pour ensuite les mettre à l'épreuve s'ils se hasardent à faire un pas seuls. Elle confond un besoin normal de respirer avec un abandon, devenant très féroce, et comme l'intelligence ne lui manque pas, elle les fait souffrir par une jalousie enragée. C'est une provocation, une vérification constante de l'amour, comme les enfants adoptés qui gardent dans le cœur la sensation d'avoir été rejetés. Aucune estime d'elle-même, donc aucune envie de se mesurer, de découvrir de nouveaux territoires, de voyager.

Pas à pas

Comment lui faire comprendre qu'elle s'est accrochée à un scénario qui implose en elle, qui la vrille dans une spirale de ressentiment et de contrôle ? Ce manque qu'elle ressent ne peut être utilisé comme alibi pour sa vie, elle doit accepter coûte que coûte son histoire et aller de l'avant. Cependant je la vois grandir peu à peu chaque jour. Peut-être parce que cette fois elle n'est pas seule et que je suis à côté d'elle.

Entre présence et absence

Il y a des mères présentes mais distantes intérieurement, prises par d'autres pensées. La mienne
était ainsi, bien que physiquement proche, je
voyais dans ses yeux flotter des nuages inconnus
qui, plus tard, sont entrés de force dans les miens.
L'adolescence a été une confrontation très violente
car elle vivait comme siennes mes amours, j'étais
sa lumière, mais je ne réussissais plus à voir. Puis
avec le temps j'ai compris qu'elle suppléait avec
moi à une attention défaillante de son mari et que
j'étais la digue sur le point de craquer. En effet
quand je suis partie, par le passage obligé du
mariage, elle a fait une dépression. Je me suis sentie
coupable de fuir son visage effaré, ce pli sur le
front, ses yeux brillants, implorants.

Et quand, en vacances ensemble, alors que

j'étais enceinte de ma fille, elle a continué d'une manière excessive à me demander de ne pas l'abandonner, je n'ai plus résisté, j'ai appelé mon père pour qu'il vienne la chercher et me sauve de la douleur. Je ne voulais pas qu'elle envahisse aussi mon ventre. Je n'ai pas compris alors que sa peur venait de très loin, du temps où elle était une petite fille à la recherche de la caresse d'un père pressé, peu habitué aux gestes tendres, et qu'une pierre de sa construction, de sa famille, manquait, que cette pierre, dans ce cas, c'était moi qui, m'étant détachée, avais fait crouler l'édifice. N'ayant pas trouvé cette tendresse avec son mari, elle la demandait à ses enfants. Comment pouvais-je le comprendre adolescente, alors que j'étais à la recherche d'une identité, de liberté et de connaissance ? Pourquoi mon père m'a-t-il laissée devenir l'agneau sacrificiel ? Il est difficile d'identifier et puis de démêler les fils qui s'enchevêtrent dans notre histoire familiale. Avec ma fille, j'ai cherché évidemment à faire le contraire. Par mon travail, j'ai été une mère plus absente que celles qui restent à la maison, mais présente avec toutes mes émotions tournées vers elle, faisant des trajets déments pour être là le plus possible, fatigues inouïes pour être disponible et avoir une vie presque normale. J'ai dû émigrer, surtout à Paris, pour nourrir ma nécessité d’approfondir la connaissance des relations précoces d’un être humain, pour comprendre la naissance de la conscience de soi et de l’identité. J’ai eu la chance de rencontrer de grands maîtres qui, après m’avoir beaucoup donné, m’ont demandé de collaborer avec eux dans l’enseignement. J’ai cru dans ce que je faisais, et maintenant je le transmets à mon tour. Je désire que ceux qui se sentent en décalage avec la vie puissent savoir que nous éprouvons tous les mêmes peurs et les mêmes désirs d’être compris. Faire en sorte qu’un tout petit enfant puisse se sentir considéré comme une personne à part entière. Combien de fois, après une conférence, seule dans un lit d’hôtel d’une ville étrangère, j’ai senti cette lame froide du regret de ne pouvoir partager avec ma fille la joie profonde d’avoir laissé une petite graine d’espoir, et la tristesse de la savoir loin, sans pouvoir lui donner cette image de femme comblée par son travail ?

Et les pères

Dans mon expérience, les pères ne sont jamais à la bonne place, en admettant qu'il y en ait une. Mieux vaut dire qu'ils ne sont jamais comme nous voudrions qu'ils soient, mais nous devons tous régler nos comptes avec le fruit de notre imagination, avec notre volonté obstinée d'adapter la réalité à nos rêves d'enfants.

Le mien était influent, distant et se consacrait énormément à son fils qui devait perpétuer le nom. Celui de ma fille a été en compétition avec le rôle maternel, un « père-mère » qui a tendrement pris soin d'elle et a su lui donner sûrement chaleur et référence quand elle était toute petite et au fur et à mesure qu'elle grandissait, même quand nous nous sommes séparés et que j'en ai eu la garde, mais qui n'a pas supporté qu'à un certain moment elle puisse avoir besoin de moi. Comme si je lui avais soustrait quelque chose de personnel. Il n'a pas compris que la mère, qu'on le veuille ou non, est une entité, le lieu des affects où l'on retourne quand on se sent comme un animal blessé.

Le père devrait être un « principe d'autorité », un rôle qu'il n'a pas complètement assumé, me laissant être l'un et l'autre. Je l'ai fait avec effort, mais aussi sans doute pour démontrer que j'avais une valeur qui ne pouvait être reconnue dans ma famille, étant seulement une femme.

Seulement une femme. Cela semble une hérésie de le dire, mais dans la société dans laquelle j'ai vécu, la valeur féminine était glorifiée uniquement dans la maternité. Les enfants étaient les médailles du mérite dont il était difficile de se séparer. Est-ce la raison pour laquelle ma mère a eu tant de mal à me laisser partir ?

Normalité

Les mèches d'extension bleues ont disparu de ses cheveux un matin d'automne. Elle se présente en me disant qu'elle est en train de devenir « normale ». Normale pour se faire caresser sans ces prolongements revêches qui ressemblaient à des griffes. En effet, le soir, elle attend que je lui passe une main sur la tête et que je la caresse longuement ; c'est étrange pour moi de retrouver ses cheveux qui étaient intouchables depuis quelques années. Ils ont changé de consistance. Autrefois doux, ils sont devenus maintenant comme du crin, fatigués d'en avoir vu de toutes les couleurs, rouge, orange, bleu. Chaque fois qu'elle en arborait une nouvelle, la provocation était évidente et je voyais bien qu'elle me regardait droit dans les yeux pour m'attaquer en cas de rejet. Étrangement, je comprenais cette transformation progressive comme une recherche mais aussi le plaisir de jouer avec son corps. Celui qui a été en prison connaît le prix de la liberté. Elle ne pouvait pas savoir que ma mère s'était évanouie dans mes bras au seul fait que je me sois fait couper les cheveux quand j'avais son âge. Elle me regardait comme on regarde un monstre et répétait inlassablement que j'avais perdu toute ma féminité. C'est pour cela que je n'ai jamais interféré dans les décisions qu'elle a prises sur son corps comme sur son habillement, même si je vois bien qu'aujourd'hui elle prend du poids à cause de son besoin d'être nourrie plus que nécessaire, une compensation à l'angoisse qui se met au jour en l'absence du cannabis. Elle s'habille comme un garçon, gauche et protégée par des jeans qui la confondent avec la foule. Il n'y a plus aucune trace d'elle-même dans sa façon d'être.

Le soir, je réussis à glisser ma main jusqu'à toucher sa nuque et j'ai l'impression d'être en contact avec une intimité qui se laisse découvrir. Je ferme les yeux et je retrouve la forme de sa petite tête de nouveau-né.

Parfaite.

Je me souviens qu'après sa naissance, j'ai demandé à une sculptrice talentueuse de reproduire sa tête en terre cuite, et je m'émerveillais de voir ces mains donner forme à la matière. Mais quand elle eut fini la sculpture, elle la cassa devant moi et, face à ma stupeur, me proposa d'essayer. « Maintenant que tu as vu comment on travaille, fais-le toi-même, c'est ta fille, tu connais ses formes pour les avoir caressées, ferme les yeux et essaie de les reproduire. » Et je l'ai fait, à travers la matière, j'ai modelé des volumes qui étaient déjà inscrits en moi. Cela a été comme de l'engendrer une seconde fois.

Connaissance réciproque

Au tout début de sa vie, ma préoccupation essentielle était de comprendre ses besoins. Je devais me concentrer et m'accorder à elle comme quand on cherche une station à la radio. Je bénéficiais de cet état psychologique particulier aux mères dans la première période de la vie du bébé. Tout passe au second plan, et c'est une erreur de penser qu'on puisse tranquillement recommencer la vie normale après quelques mois. Ce temps de connaissance réciproque est fondamental pour le bébé qui sent une réponse extérieure s'accorder au fur et à mesure à ses besoins primaires, que sa mère le nourrisse s'il a faim, lui parle s'il a peur, le laisse au père si elle a besoin de dormir.

Au retour de la maternité, son père et moi avions la terreur de ne pas y arriver, même si nous la camouflions derrière l'orgueil d'une telle merveille qui dormait, sereine et innocente, dans un ravissant couffin jaune. De ces premiers jours, j'ai le souvenir de mes chemises de nuit et des visites des tantes, du thé et des pâtisseries, des grands-mères et des fleurs, et d'une excitation fébrile qui me faisait désirer de plus en plus le silence. Ce que j'ai fait.

Avec l'accord de son père qui voulait me protéger de cet envahissement, je suis partie avec elle vers le sud de l'Italie, en un octobre qui nous faisait encore cadeau d'un soleil réchauffant. Je voulais que notre vie ensemble commence bien. Je me souviens encore de l'étonnement de ses grands-mères quand j'ai annoncé mon départ. Pour elles, il était inconcevable que je le fasse seule, avec une petite valise et un nouveau-né, pour aller dans un lieu que je ne connaissais pas. Moi au contraire, je voulais me mettre à l'épreuve, ne pas me laisser prendre par les faux problèmes qui guettent les jeunes parents. J'avais mon lait, ça suffisait. Je lui ferais respirer l'air de la mer et sentir le parfum des orangers, et nous aurions le temps tout à nous pour nous connaître. Je remercie son père qui alors a compris et respecté ce que je ressentais, il nous a rejointes au bout d'une semaine pour voir comment ça allait et il est même reparti quand il a vu qu'on avait encore besoin d'un peu de temps.

Durant ces jours pas toujours faciles, je me suis aperçue que je pouvais y arriver seulement en écoutant mon intuition, que chacune de ses réactions devait être comprise et évaluée, et que surtout elles avaient toujours un sens en relation avec ma présence, de la qualité de ses pleurs au moindre changement sur sa peau. Elle s'agrippait à mon regard avec ses grands yeux noirs pendant que je lui expliquais ce que j'avais compris d'elle, et je m'excusais de ses rougeurs si je m'étais laissé prendre par la cuisine épicée du Sud. Le vent de la mer est devenu le compagnon de nos promenades matinales et nous nous sommes fait dorloter par les dialectes et les odeurs différentes.

Au retour, j'étais sûre de moi et sereine, et elle avec moi, heureuses de retrouver un mari et un père, pour ajouter à la partition de notre dis-cours un autre élément nécessaire. Elle a toujours mangé avec plaisir, bien dormi, a été rarement malade. Si je ne m'étais pas écoutée, et si j'avais abdiqué devant les conseils des autres, est-ce que cela serait allé aussi bien ?

Le divan-berceau

De nouveau, ma vie privée n'existe plus. Je n'en sens même pas le manque car un lent mais continuel progrès commence à apparaître. Notre monde n'admet pas d'interférences et je vois bien que quand je propose d'inviter quelqu'un, elle fait une tête terrifiée. Cette fois cependant, l'insistance de mon ami à venir de Paris pour nous retrouver et nous faire une surprise la fait réagir avec joie et elle m'aide même à faire les courses. Elle prépare la table avec une nappe dont j'avais oublié l'existence et un service précieux d'assiettes et de verres. Je me laisse prendre par son enthousiasme, pensant que toutes les deux, pour différentes raisons, nous avons besoin qu'un homme marque une altérité.

Distraitement elle me demande si ça ne me dérange pas qu'elle continue à dormir dans le salon : elle ne se sent pas encore capable de retourner dans sa chambre. Très vite, je l'assure du contraire, mais je vois dans les traits de mon ami une crispation que je ne connais pas. Il me murmure à l'oreille que c'était une occasion de la faire grandir, et je sais en cet instant que je n'ai pas eu le bon réflexe par peur de la décevoir, de la blesser, en vérité de perdre son amour.

Il y a quelque chose de faussé dans cette nouvelle relation qui fonctionne quand nous sommes toutes les deux, mais se complique avec la présence d'un tiers. C'est le risque de vivre seul avec un enfant : peu à peu se développe une sorte de tyrannie et nous devenons esclaves réciproquement, sans bouffée d'air pour personne.

Je l'entends arriver tard dans la nuit et s'installer dans le salon, et là, je la déteste parce qu'il est vrai qu'elle me dérange, elle ne peut continuer à faire le bébé et jouer les femmes indépendantes. Je passe la nuit entre deux personnes qui me demandent des attitudes que je ne suis pas en mesure d'avoir. Le matin je me réveille hargneuse et je lui jette mon malaise à la figure, mais je n'ai pas le courage de lui dire les choses comme elles sont. Il est difficile de parler de sexualité à ses propres enfants, même de manière larvée, il y a toujours cette éducation de la pudeur qui complique tout. Mon peu de clarté génère en elle un sentiment d'exclusion, elle réagit avec rage, pliant avec froideur la couverture et le drap, elle prend Iodino et me dit qu'elle ne restera pas dans cette maison.

« Avec moi ou sans moi », à nouveau l'abandon.

Je tombe comme une pierre dans l'eau. Tout se fragmente en mille morceaux. Tous les efforts, la patience, le renoncement à ma vie, tout se réduit-il à cela ?

Je ne me rends pas compte d'emblée qu'elle est en train de tester ma résistance, qu'elle veut voir jusqu'où elle peut aller. Une main méchante me tord l'estomac et me fait monter les larmes aux yeux. Sur un ton entre la cruauté et la peur, elle me dit : « Qu'est-ce que tu fais, tu pleures maintenant ? » Je vois bien que ma faiblesse la déconcerte et que, si à la fin elle me domine, elle se sentira encore plus seule et plus perdue.

Avec un énorme effort, j'émerge de la somme de culpabilité qui m'affaiblit, je me reprends, lui dis fermement qu'elle ne partira pas et que je l'attends à l'heure précise du déjeuner.

Je redeviens totem et, me sentant forte, elle décharge ses dernières munitions et s'en va offensée dans sa chambre, claquant la porte suffisamment fort pour exprimer toute sa colère, mais pas assez pour mériter un reproche, une nuance très fine qu'elle manie avec art.

Mon ami n'arrive pas à comprendre la violence de nos affrontements, il est bouleversé par cette furie destructive qui éclate sans préavis ; le rapport qu'il a avec son fils du même âge que ma fille n'a jamais pris un ton aussi acerbe. Il est mal à l'aise dans un langage affectif qui lui échappe, mais je sens que sa présence est salutaire, elle introduit au moins un peu d'apaisement dans un lien trop serré.

C'est dimanche et je ne veux pas perdre l'occasion de me raccrocher à un rituel que je sens nécessaire. Je prépare la table avec soin et laisse rissoler lentement un oignon, en attendant que le tumulte que j'ai dans le cœur se calme et que je retrouve un rythme régulier. À treize heures, elle descend en pyjama, pas lavée, et je vois bien que c'est encore une provocation. Mais ce n'est pas elle la plus forte, et je lui dis sans infléchir ma voix qu'il lui reste le temps de la cuisson du soufflé mis au four pour se préparer et être digne de cette table de fête. Elle revient impeccable et butée, mais peu à peu le repas préparé avec amour accomplit un miracle et nous nous retrouvons tous les trois à piquer dans les assiettes des uns et des autres, à donner à nos estomacs et à nos âmes la possibilité d'un répit. Au café, avec la *grappa*, je sens une harmonie qui nous caresse le cœur. Le soir c'est elle-même qui décide de dormir dans sa chambre, me demandant la permission de revenir en cas de frayeur. Un petit baiser léger dans le creux de son cou sert à la rassurer, elle s'appuie sur mon épaule et se laisse caresser.

Boulettes

Je ne sais pas pourquoi, mais quand je dois faire quelque chose pour démontrer mes capacités culinaires, mes pas me conduisent toujours vers une boucherie, comme si acheter et cuire de la viande était un acte particulier, un rite d'initiation qui marque un passage.

Aujourd'hui j'ai envie de faire des boulettes, réaliser des formes nouvelles pour moi, pour matérialiser les progrès accomplis. Je pétris trois sortes de viandes hachées, des pommes de terre bouillies, du persil, un œuf, de la noix de muscade et je comprends que les tâches simples peuvent donner de grandes satisfactions. Dans cette manipulation affective, je retrouve des souvenirs et je transmets de l'amour. À la fin, je les admire, parfaites et ovales avec le bord latéral aplati et légèrement couvert de chapelure. Une fois frites je les dispose dans un plat et j'attends ma fille pour voir dans ses yeux cet éclair de joie que provoque toujours chez elle un bon repas.

Aujourd'hui pas de drame mais de bonnes choses. En effet nous les avalons comme des dragées de fête, avec gaieté et le sens du partage retrouvé, une pause dans ces moments de haute tension. Une recette qui sera un souvenir durable.

Le fil d'Ariane

Elle s'est assise sur le divan avec deux grosses aiguilles à tricoter et une pelote de laine grise qui servira à faire une écharpe. Elle me semble bizarre dans cette attitude, si calme et attentive alors que cinq minutes auparavant elle avait mis une musique insupportable. Je n'ai pas hésité à lui montrer mon intolérance, éteignant la chaîne, pendant une pause de ravitaillement dans la cuisine. À son retour, elle m'a agressée par des paroles énervées, et il est clair que je ne perds pas une occasion de lui rappeler qu'elle ne peut pas faire ce qu'elle veut, faisant de nouveau naître chez elle un sentiment d'exclusion. Je ne réussis pas à recourir à l'humour et je me sens tellement rigide que j'en ai mal au dos.

Si je continue ainsi, j'annulerai le bénéfice de

sa présence, elle me percevra comme une mégère prête à la rabrouer au moindre geste.

Je me rends de plus en plus compte que je réponds de façon automatique à une peur d'invasion qui ne la concerne pas directement, mais qui remet au jour mon passé.

Toujours cet écho intérieur.

Pourrai-je un jour trouver, grâce à elle, la juste distance pour ne pas me sentir menacée et conserver le lien ? Il est possible qu'elle soit partie trop tôt parce qu'elle avait senti inconsciemment mes limites. Les enfants peuvent sacrifier certains de leurs besoins du moment que cela satisfait les parents.

Enfant, quand nous allions au restaurant, elle prenait une petite valise dans laquelle elle mettait tout son monde qu'elle installait invariablement sur une chaise à côté de la table. Tandis que nous étions avec nos amis, elle organisait sa vie comme elle voulait, inventant espaces et rôles à ses personnages qu'elle nourrissait et grondait suivant ses propres règles. Dans cette valise se trouvait la clé d'une évasion possible, un antidote à l'ennui et à sa solitude face aux adultes, elle se sentait protagoniste et protégée par un monde créé à sa mesure. Je ne l'ai jamais vue s'ennuyer, au contraire j'ai vu des chaises s'animer d'une activité intense, sorte d'architecture affective qui me fascinait. À un certain moment, elle n'a peut-être plus trouvé de chaises sur lesquelles projeter son monde à part. Habituée à être la reine de ces espaces, elle a dû se rendre compte que le monde extérieur ne correspondait pas à cet ordre décidé par elle. Elle s'est enfermée dans des rapports à deux avec la crainte de regarder par-dessus la haie. Au-delà, la confrontation avec la vie a dû lui faire tellement peur qu'elle a eu besoin de chercher un remède à l'angoisse.

Maintenant cette chaise est notre maison et je m'y trouve moi aussi. Est-il possible qu'encore aujourd'hui je la contraigne à se limiter et à se renfermer dans un espace à part ? Je regarde toutes ses affaires éparpillées et je comprends que ce désordre est l'image inversée de la petite fille à la valise. Le territoire est partagé, elle n'est plus seule et cela est le plus important.

Je rallume la chaîne en lui demandant de m'excuser et elle me tend les aiguilles à tricoter pour que je fasse un rang. Elle est contente de me rappeler les gestes, m'aide à ne pas me tromper, contrôle mon travail qui se mêle au sien. Ce qui deviendra une écharpe pour la protéger du froid est le fil qu'elle me tend pour tisser de nouveau, et cette fois ensemble, une autre histoire.

Nuit blanche

Nuit d'insomnie qui me voit déambuler dans la maison en proie à l'angoisse. Je regarde l'horloge qui lentement ponctue l'absence, me laissant confrontée à la perte et à l'abandon. Elle n'est pas rentrée et son téléphone est éteint ; je sens passer par vagues l'agacement, la colère, l'anxiété et la peur. Je revois ma mère qui m'attendait avec exactement les mêmes sentiments et je me dis que la vie est un passage de relais. Aujourd'hui c'est moi, demain ce sera elle, on ne peut pas y échapper. Je reste cependant entièrement accrochée à cette anxiété qui traverse l'histoire, sachant que ma place actuelle est celle d'attendre que s'accomplisse le rite des sorties, avec les règles à imposer, les discussions interminables et les compromis qui en découlent. Je ne peux faire abstraction de mon rôle, celui de donner des limites qui, de toute façon, seront dépassées.

C'est là que je sens la fragilité d'être seule, de ne pas avoir l'appui de son père pour partager cette pesanteur. Elle est en train de faire des tentatives vers l'extérieur, elle a quitté son canapé, est retournée dans sa chambre et a renoué des liens avec ses amis. Cependant, j'ai la sensation que son attitude est toujours à la frontière de la norme, mais au moins elle commence à s'y confronter.

Dans ces moments d'attente, je me dis que je suis le port d'attache où elle peut revenir, mais il lui incombe d'essayer de vivre. Qu'il est difficile de ne pas pouvoir anticiper et protéger nos enfants des duretés de la vie, de les voir se faire mal et les laisser découvrir la conscience de la douleur !

Au-delà du jardin

Lors d'un voyage dans les Pouilles, j'ai été fascinée par le côté mystérieux des *trulli*, constructions circulaires et massives en pierre avec des toits coniques surmontés d'une boule. Ces formes archaïques ont d'emblée répondu à un besoin de protection et un désir de me recentrer sur moi-même. Avant de décider d'en acquérir un, je lui ai demandé son avis. Je l'ai sentie curieuse, attentive et inquiète, me demandant de rechercher un trullo suffisamment grand pour qu'on y soit bien toutes les deux, proches, mais avec une distance de sécurité. Mon choix correspond exactement à ce qu'elle m'avait demandé.

Je lui propose de l'emmener avec moi dans le Sud et de la faire participer aux travaux de restauration qui vont commencer. Je sens que ça lui fera du bien de choisir son espace, de sortir d'une ambiance qui la protège mais aussi l'enlise, d'être ensemble dans une aventure que nous pourrons transmettre. Le moment est venu pour moi de retrouver des racines et j'ai choisi cette terre d'adoption, cette Italie de familles avec enfants et grands-parents, de rituels liés à la terre, de processions, d'accueil chaleureux et de respect.

Cela n'a pas été facile de la convaincre de partir et jusqu'au dernier moment j'ai senti sa peur du changement. En effet, le soir du départ, elle arrive épuisée avec une mauvaise humeur évidente, trop fatiguée pour voyager. Mon estomac se noue dans une grimace douloureuse, mais je décide de ne pas céder, je la prends dans mes bras en lui disant que je comprends sa difficulté, je lui gratte un peu le dos et je sens qu'elle se détend au contact de ma main. Pour moi c'est une partition nouvelle : celle des caresses et du contact physique.

Petite, je pleurais tout le temps et la seule chose pour me faire taire était la main de mon père sur mon dos, je devais sentir dans cette pression calme un courant de sécurité que je ne percevais pas chez ma mère. D'elle, je me souviens de ses ongles limés et durs mais pas de l'empreinte de son corps. Je n'ai pas gardé en moi le souvenir d'un bercement physique et il m'est évident maintenant qu'elle ne pouvait le donner car elle, en son temps, ne l'avait pas eu. Moi aussi j'ai transmis la pudeur du geste, la difficulté du plaisir d'être touchée et de toucher.

Le salut est de sortir de la répétition, d'une histoire qui nous condamne à mendier l'affection ; alors je tends le bras et je laisse ma main glisser sur son dos, il est beau, doux et agréable à caresser. Son abandon confirme son besoin et j'écoute mon corps se transformer en un abri protecteur. Je me sens comme la *Femme cuiller* de Giacometti : un grand ventre qui contient et nourrit.

Wagons-lits

Nous partons le soir pour une Italie à l'opposé de celle que nous connaissons. Dans le compartiment du wagon-lit qui nous est destiné, nous laisserons au sommeil le changement des paysages. Je la sens s'endormir calmement et je me détends moi aussi en pensant à la locomotive qui pour une nuit me soulage du devoir de conduire.

Quelle joie de voir le matin avec les palmiers et une clarté différente. Dégustant mon café, je l'entends se réveiller et réclamer son petit déjeuner. C'est un bon signe et je pressens son enthousiasme à découvrir tout ce que cette terre généreuse pourra lui donner. Son avidité de nourriture et d'attention, indice de vide et de peur, confirme aussi un désir de vivre et de recevoir. Cette terre fertile et maternelle m'aidera à lui donner ce que je sens nécessaire, comme elle l'a fait pour moi-même. Je suis exaltée et timorée à la fois, je ne veux pas l'envahir avec mon excitation, alors qu'elle est silencieuse quand nous passons à côté des oliviers séculaires, dans une certaine attente.

Nous louons une voiture. Pas encore assez libre pour être indépendante, elle n'a pas réussi à obtenir son permis ; là, à côté de moi, en profitant de la solitude de la campagne, elle peut se familiariser à la conduite qui lui fait encore peur.

Nous vivons ensemble des jours réchauffés par la présence des amis, admiratives de la compétence des *maestri* qui transforment un bloc de pierre en une boule parfaite, la tenant entre leurs mains avec la même délicatesse qu'ils auraient pour tenir la tête d'un enfant. Je la regarde s'exciter à la découverte d'une cuisine magnifique qui nous rapproche de la terre et de la sagesse des recettes antiques, nous laisse repues et affamées de nouvelles surprises. Je l'observe parler avec architectes et ouvriers, allumer une cigarette et en offrir, discuter de la construction de la partie qui lui est dévolue.

Elle a les idées claires et je suis heureuse. Je suis si attentive à elle, que je n'arrive pas à penser à mon propre lieu, j'ai l'esprit tellement occupé par sa présence qu’il m’est impossible de projeter mon espace personnel, mais peu importe puisque, à travers nous, le sens de cette maison est en train de se construire. Elle devient chaque jour plus autonome et même souriante, prend possession du village, découvre de vieilles boutiques qui recèlent des merveilles derrière leurs comptoirs et me fait cadeau de deux petits pendants d’oreilles rouges. En les mettant, j’ai l’impression de porter deux soleils joyeux et, de fait, je me sens finalement légère. Elle est plus sereine, son sourire dénoue une tension que j’avais en moi depuis si long-temps.

Au retour, dans le train pour Venise, je la vois se recroqueviller au moment de dormir et pleurer tout doucement. Elle me dit qu’elle a l’impression de ne pas pouvoir respirer, d’avoir encore une attaque de panique. Je comprends que ce retour à la maison la préoccupe après ces journées de voiture en liberté et de couleurs fortes. Je me glisse dans son lit et la prends dans mes bras, elle ne s’y oppose pas. Je lui parle doucement, je sens qu’elle a besoin d’être rassurée mais aussi confortée dans ses conquêtes. Elle s’endort subitement, comme un nouveau-né rassasié, je la regarde longtemps, elle est détendue et je me sens sereine.

Wagons-lits

Une semaine plus tard, elle me téléphone et m'annonce qu'elle a obtenu son permis de conduire. Pendant qu'elle me parle, il commence à neiger. La première neige de l'année. C'est mon bonheur qui a changé le ciel.

Noël et passeports

Avec le permis arrive aussi un projet de voyage avec des amis. Cela fait des années qu'elle n'arrive pas à organiser quoi que ce soit, ni sortir de ses trajets familiers. Elle m'annonce avec un mélange de joie et de crainte un circuit en Irlande, je me sens soulagée. Je lui demande de vérifier son passeport et si elle souhaite prendre Iodino avec elle. Elle me regarde pour voir si je suis sérieuse.

Aujourd'hui plus que jamais je reconnais comme indispensable la présence d'un objet qui petit à petit s'est animé de ses émotions et de notre relation. Avec naturel, je lui propose de faire un passeport pour lui aussi ; elle adhère immédiatement au projet qui nous voit unies jusqu'à deux heures du matin à rire, couper et coller pour arriver à un produit fini de haute précision. Nous sommes tellement satisfaites que nous avons l'impression d'avoir calmé toutes les angoisses du départ.

Dans cette harmonie, nous ouvrons nos cadeaux avec un rituel qui nous est propre, scandé par les lumières scintillantes de l'arbre de Noël. Elle me demande de dormir dans son divan, non par peur mais pour jouir de l'atmosphère de fête et de paix qui règne dans le salon. Je la regarde, sereine avec le petit passeport à côté d'elle, et je pense à l'importance de comprendre les besoins primaires de sécurité, de ne pas confondre l'âge chronologique avec l'âge affectif. À n'importe quel moment de notre vie nous pouvons être amenés à nous bloquer et à régresser pour récupérer ce qui nous a manqué. Elle se l'est autorisé et cette fois je l'ai compris à temps.

Repassage et ordre

Elle a une conscience nouvelle de son corps et de son espace. Je la laisse prendre possession de la maison quand je ne suis pas là et je m'étonne de voir à mon retour certaines de nos affaires alignées et parfaitement repassées. D'où lui vient cette compétence et que signifie-t-elle dans le nouveau panorama de nos relations ? Est-ce pour me faire voir ses capacités en ce moment nettement supérieures aux miennes et pour la première fois apporter sa contribution quand on ne lui demande rien ? C'est sûrement le passage d'un état de confusion à un état organisé, et le résultat, je l'ai sous les yeux. Je décide de le considérer aussi comme un désir de collaboration réciproque, un échange de plaisirs dans une cohabitation qui commence à avoir des contours plus normaux. Je suis étonnée de sa précision et je lui propose de l'aider à ranger sa chambre.

J'ai peur quand j'ouvre la porte car je me souviens des dévastations passées, mais je me rends compte que la situation n'est plus aussi tragique, elle doit avoir fait place nette avant mon arrivée, je trouve seulement les mêmes chaussures dépareillées et un nombre incalculable de sacs à main oubliés sous le lit. A-t-elle tellement besoin d'être contenue pour en justifier ce nombre impressionnant ?

Avec un calme que je ne me connais pas et une musique des années soixante-dix qu'elle vient d'acheter, nous nous mettons au travail. Je me surprends à ne pas être angoissée par le fait qu'elle soit en train de vider une armoire qui n'a pas été ouverte depuis des années. Il y a une collaboration et tout semble naturel. Nous partons en laissant une odeur de propre et de cire d'abeille.

Nouvelle liberté

Ce sont des journées de travail entre nous, un lien plus serein qui se consolide, je sens qu'elle a pris en main la situation, du moins il me semble, des moments durs subsistent quand l'insécurité revient et déferle sur moi, mais ils sont relativement brefs et peu nombreux.

Au retour de mon court séjour à l'étranger, je trouve la maison comme jamais je n'ai réussi à la ranger, chaque soir nous nous cuisinons des petits plats exquis, nous complimantant à tour de rôle. Un paradis qui me permet de m'endormir sans mal mais me réveille durant la nuit, je ne comprends pas pourquoi, ça ne fait rien tellement il est plus important de réparer et de retisser la relation. Elle me dit qu'elle est contente, qu'il lui manque seulement quelqu'un à aimer et je la comprends car aucune joie n'est belle si on ne peut la partager avec un ami.

Alors que dans un effort insensé je soulève mon chariot de courses sur les ponts vénitiens, elle m'appelle et m'annonce avec une certaine agitation qu'elle ne sera pas à la maison ce soir. Je reste silencieuse et je ne comprends pas.

Pourquoi, que s'est-il passé ?

Elle a rencontré quelqu'un à la bibliothèque et il est évident qu'elle cherche un appui, une approbation. Je sens au contraire quelque chose en moi se rigidifier, je voudrais laisser le chariot au milieu du pont, taper des pieds et ne pas sentir cette jalousie pour celui qui s'introduit dans ce calme retrouvé, en ce moment de bonheur.

Je la trouve dans la salle de bains, prête à l'attaque : épilation, masque sur le visage, cheveux lavés. Je la regarde agacée et je commence à me plaindre, disant que j'en ai marre de porter des poids, à commencer par le chariot que j'ai laissé au bas de l'escalier. Avec calme, elle descend le chercher, elle me stupéfie parce que c'est une chose qu'elle ne fait jamais sans un substantiel cortège de récriminations.

Pendant que je continue à me lamenter dans la cuisine, je l'entends me dire : « Toutes ces plaintes pour un soir où je sors ? » Touchée ! Elle

a raison, pourquoi faire tant d'histoires ? Le pourquoi, je le connais, je sens qu'elle est encore fragile,
elle a besoin de doses supplémentaires d'affection
qui la stabilisent, autrement elle répétera le même
scénario des amours superficielles qui ne lui appor-
teront rien. Ou bien, serais-je jalouse ?

Je dors mal et je regarde Iodino qui est devant
la porte et l'attend. Le matin, je me réveille avec
un mal de tête, elle m'a laissé un message pour me
dire qu'elle est heureuse et qu'elle passera la nuit
dehors. Je lui réponds que son âne m'a mordue
parce qu'il est inquiet à l'idée de rester ignorant ;
c'est un moyen de lui faire comprendre qu'il ne
faut pas qu'elle se perde et qu'elle doit rester fidèle
à son engagement dans les études. J'ai l'impression
d'être une équilibriste entre ce qui me semble juste,
comme de connaître quelqu'un, et ce qui me
semble faux, comme ne pas se donner le temps de
comprendre s'il s'agit d'une personne adéquate
pour elle. Pourvu qu'elle soit acceptée, elle n'y fait
pas trop attention, c'est encore une façon de fuir
la solitude. Elle semble heureuse et je réussis à lui
transmettre l'idée que j'y crois.

Elle me demande de lui préparer un grand jus
d'orange au moment où elle rentre à la maison.
Elle arrive ébouriffée, avec les yeux brillants des

premières rencontres, je vois qu'elle est surtout soulagée de me trouver douce et disposée au jeu.

Le soir, je sors avec des amis et je me réjouis de retrouver une vie sociale que j'avais oubliée. Cela ne m'empêche pas d'avoir un sursaut d'émotion quand un homme sourd-muet dépose sur la table un petit phoque en peluche et avec lui la demande d'une offrande pour l'adopter. Au retour, par une claire soirée de pleine lune émerge de mon sac la petite tête ronde de ce nouveau personnage qui, je le sens, fait déjà partie de notre famille.

En arrivant, je la trouve enveloppée dans une couverture, elle est contente de me voir et me dit qu'après la nuit précédente, elle avait besoin de rester à la maison. Avec Iodino, nous lavons le petit phoque qu'elle veut appeler Nina et nous le mettons à sécher. Je la prends dans mes bras, je la sens se blottir et se détendre à l'idée de pouvoir être une femme et de continuer à jouer.

Illusion et jeu

Ce matin, un ami de Paris m'appelle. Je lui expose d'une voix enjouée les développements familiaux, la nouvelle adoption du petit phoque et je sens qu'il rit de bon cœur. Je lui parle de Iodino comme d'un objet transitionnel entre nous, d'une illusion qui nous sert à toutes les deux pour accéder au jeu et rattraper une partie manquante. Il ne rit plus et sa voix s'attriste.

— Mais comment, me dit-il, une illusion ? Pourquoi considères-tu que le jeu est une illusion et ne fait pas partie de la réalité ? Qui a dit que le rêve et le jeu ne font pas partie intégrante d'un tout ?

Pendant qu'il parle, quelque chose en moi, de la nature rigide d'un iceberg, commence à s'effondrer avec fracas dans une mer immobile. Je ne comprends pas encore, mais une lueur commence à m'éclairer et un voile est en train de se lever.

— Si tu vis cette expérience de jeu comme une illusion, continue-t-il convaincu, cela signifie que dans peu de temps tu devras l'abandonner pour accéder à la réalité, et de cette façon tu la perdras.

C'est vrai, je pense.

— Mais je ne veux pour rien au monde arrêter de jouer !

Alors il renchérit :

— Le jeu n'est pas une illusion mais fait partie de la réalité, comprends-le une fois pour toutes, le jeu est création et ça aussi c'est une réalité.

Autre éclaircie.

— Mais alors je continue à intellectualiser ?

— Oui, tu te relègues encore dans l'intellect et non dans la créativité. Ton modèle de référence te conduit à une dictature de la raison, si tu joues avec ta fille avec une illusion, à la fin, il ne restera plus rien qu'une expérience rationalisée sans même te rendre compte que finalement tu as récupéré une dimension fondamentale pour toi et naturellement aussi pour elle.

Dio mio, cet homme est un ange qui m'aide à me libérer et à voler. Je suis tellement contente que je me mets à danser dans la pièce une samba brésilienne. Air, poumons ouverts, joie. Je me sens libre de pouvoir jouer, toujours, d'être joyeuse et d'accéder plus facilement à la fantaisie et à l'imagination. Je retrouve l'intuition qui m'avait incitée à adopter le petit cheval et qui m'a amenée à tout cela. Je risquais de le classer comme un stratagème de travail, sans admettre que c'était un vrai besoin mutuel. Cette prise de conscience est tellement forte qu'une étrange pesanteur m'envahit. Je sens ma tête tomber de sommeil. C'est un dimanche brumeux de janvier, ma fille est à la bibliothèque, le lit est encore défait.

Les grands passages méritent de grands repos, je me glisse dans les draps et finalement je m'endors.

Relâche.

Besoin d'air

La journée semble ne jamais finir. À sept heures, je coupe les oignons et les mets à rissoler, à sept heures un quart, j'ajoute les courgettes, le poulet coupé en morceaux et fariné, le vin blanc. À huit heures et demie, tout est prêt, et mon âme inquiète. Elle arrive et se met à rire en me voyant aussi diligente, mais, en bonne gourmande, elle ne fait pas de commentaire.

Je l'ai rarement vue sans appétit et nous nous détendons en mangeant. J'ai l'impression d'avoir achevé un peu mieux une journée fatigante. Entre la salade et le fromage, elle me dit que, depuis un certain temps, la présence de mon ami la dérange, il lui semble que quand il vient nous retrouver, il envahit un peu l'espace.

Pour moi, c'est un coup de tonnerre dans un

ciel serein : j'allais justement lui dire que c'était une période de sérénité entre lui et moi. Je comprends son inquiétude car je pense qu'elle craint de perdre l'attention que je lui porte.

Je garde mon calme et je lui demande de s'expliquer. Elle corrige le tir, dit qu'elle ne se sent pas assez considérée car il n'exprime jamais sa pensée en notre présence. Je l'écoute tout en pensant que c'est une bonne chose qu'il y ait un tiers entre nous. Je lui donne raison sur ce qu'elle ressent, mais je lui fais observer que sa présence à certains moments a été nécessaire, quand la discussion devenait enflammée, nous déchirant toutes les deux. Étant un homme, de surcroît étranger, il ne lui est sans doute pas facile d'entrer dans notre dialectique relationnelle, peut-être aussi par respect, mais à côté de nous, il constitue une limite, donc une protection. En somme, il est indispensable pour me donner le sens de la mesure, quand j'ai l'impression de tourner en rond. À la place des paroles, il nous a donné des images de sa poésie intérieure, de petits tableaux qui comme lui ne veulent pas prendre trop de place, mais permettent de rentrer dans une vision métaphysique de la vie, et d'alléger la pesanteur de la réalité.

M'entendre le défendre l'a rassurée, comme si elle avait mis à l'épreuve la solidité d'un lien qui ne lui enlève rien et la protège d'une mère un peu trop centrée sur elle. Je perçois aussi une légère jalousie, mais le fait de pouvoir l'exprimer la rend compréhensible. A-t-elle voulu voir une fois encore si j'étais assez solide ?

La bonne distance

Le processus de séparation est un moment extrêmement délicat. Il commence à notre naissance et continue quand nous avons acquis assez de force pour soutenir l'impétuosité de l'esprit qui nous pousse à découvrir le monde. Nous serons curieux des autres si nous avons été nourris non seulement physiquement, mais aussi affectivement. Grâce à cela, nous pourrons avancer et nous confronter à la vie.

Les messages directs ou inconscients de la mère sont fondamentaux. Si elle reste à une juste distance, nous pourrons explorer, aller et revenir, faire un réapprovisionnement affectif et puis repartir ; si elle a peur, elle le transmettra par ses craintes du monde extérieur, et l'unique refuge sera en elle. Si elle est encore envahie par la difficulté de ses propres liens, elle nous laissera partir trop tôt, et quand nous reviendrons vers elle au premier obstacle, elle ne sera pas là pour nous consoler. De la modalité de ces premiers pas vers la vie dépendra notre construction de l'identité, d'abord attachée aux objets d'amour, puis petit à petit plus autonome. Les va-et-vient, les retours en arrière sont quelquefois nécessaires pour reprendre son souffle, se sentir une personne et avoir accès à son propre désir. Ces passages intermédiaires ont une connotation d'extrême fragilité, et c'est ce qui m'apparaît clairement en ce moment précis dans notre relation.

Aujourd'hui, je me réveille à cinq heures du matin, un léger écho de misère dans le cœur et la fatigue de faire face aux affrontements qui me laissent meurtrie.

Tout allait bien jusqu'aux vacances avec son père qui me l'ont restituée ennemie. Il a dû décharger sur elle une colère jamais éteinte à mon égard, depuis qu'il s'est rendu compte qu'un homme a pris une vraie place dans mon cœur. Je m'en aperçois à l'occasion d'un coup de téléphone à Pâques, elle est en vacances avec lui, je sens que le ton est agressif quand elle me dit qu'elle ne veut pas retourner étudier dans sa chambre parce qu'elle est trop petite et que la maison en général ne lui convient pas. Je m'aperçois immédiatement que les mots ne sont pas d'elle, et j'ai le cœur serré de voir combien on peut faire mal par personne interposée, sans réaliser qu'en l'utilisant, on lui enlève tout sentiment de sécurité. Elle me demande d'échanger sa chambre avec la mienne et, sans m'en rendre compte, justement parce que moi aussi je suis fragile dans ce lien qui est en train de se reconstruire, je suis presque sur le point d'y consentir quand mon ami qui est à côté de moi me fait voir le danger de la requête. Ce n'est pas en se mettant à ma place qu'elle sera mieux, mais en trouvant son propre lieu adapté aux nouvelles exigences.

Ses attaques de rage et d'insatisfaction réveillent en moi la peur qu'elle s'en aille, qu'elle m'abandonne, je ne la sens pas encore prête et moi non plus. Je suis en train de vivre pour la première fois toute l'ambivalence et tous les déchirements de l'attachement maternel.

Les premières années de sa vie ont été un bonheur entre son père, elle et moi. Je me sentais mère et sereine. Puis vinrent les problèmes de couple et notre séparation quand elle avait trois ans. C'était une petite fille qui allait très bien, est-ce que j'ai été assez attentive à ce qu'elle ressentait à ce moment-là, à la douleur que représentait pour elle la séparation de ses parents ?

La peur viscérale qui m'envahit maintenant à travers ses menaces, c'est celle de la perte. Une peur que toutes les mères ressentent. Pourquoi ne l'ai-je pas éprouvée avant de cette façon-là ? Pourquoi ne pas me l'être autorisée ? l'avoir déniée pendant tant d'années ? Ma culpabilité qui resurgit sans cesse quand elle m'agresse vient-elle de là ? Nos combats sans fin montrent que cette peur est mutuelle ; dans cette folie à deux, au moins, nous sommes ensemble.

Comme je n'accepte pas le changement de chambre, elle me demande de trouver une grande maison familiale, semblable à celle de ses grands-parents, pour pouvoir y revenir quand elle sera partie, comme si le lieu était plus important que les sentiments. N'est-elle pas encore convaincue qu'en cas de besoin, je suis et je serai toujours là pour elle ?

Je la sens manipulée et pas libre et c'est cela qui me fait le plus souffrir. Je le vois à sa haine qui est revenue dans ses yeux, à sa capacité à détruire, à oublier les progrès accomplis. Sa chambre redevient un champ de bataille et ses attaques m'anéantissent. Ce contrecoup est très dur et mon corps parle à ma place avec des spasmes de douleur qui me laissent sans force.

Quels lieux ?

Dans les critiques des enfants, il y a toujours un fond de vérité. Je comprends à travers sa demande d'une *casa madre* qu'elle exige de moi maintenant ce que je n'ai jamais été, un lieu fixe à substituer à une image de mère trop mobile. Il semble paradoxal qu'elle le réclame à un âge où, en général, les enfants quittent la maison. Elle exprime là avec rage un besoin qui couvait depuis longtemps.

Je prends cette pluie acide qui met à nu mes limites. Mes asphyxies familiales rejaillissent sur elle malgré moi. Paradoxalement, je sens qu'elle est en train de m'aider à sortir d'une vieille histoire.

Je suis d'accord pour que nous cherchions une maison plus grande à Venise – « où tu pourras être avec un homme et moi aussi », me dit-elle, en me précisant les modalités de fonctionnement. Une façon de me faire comprendre qu'elle n'est pas prête pour la séparation, qu'elle a encore un besoin désespéré de cette proximité. Partir, en sachant qu'elle peut revenir et qu'elle me trouvera.

Elle ne sait pas que sa requête, jugée par les autres comme une absurdité, fait écho à une partie fragile de moi-même car j'ai perdu mes parents. Je n'ai plus de lieu de refuge, de réconfort et de protection, aucun rempart à part les miens. Est-il possible qu'elle ait aussi perçu mon besoin ?

J'ai l'impression que nous devons nous octroyer cette idée bizarre, et nous passons toute une période à voir des maisons immenses, aux prix exorbitants qui redimensionnent notre délire. À chaque visite, nous revenons avec une idée toujours plus claire de ce que nous ne voulons pas.

Cette alliance pour chercher à l'extérieur ce que nous n'avons pas le courage de reconnaître comme étant déjà en nous, nous permet d'aller voir ailleurs pour avoir le plaisir du retour, de renouer le fil cassé et de revenir à notre petit appartement avec un regard bienveillant qui le rend peu à peu plus accueillant.

Foyer

« De mon temps », et je n'aurais jamais voulu être amenée à le dire, on voulait partir de la maison le plus tôt possible pour trouver l'indépendance qui semblait aussi nécessaire que l'air qu'on respire. Les parents existaient en tant que tels, comme cadre et rempart qui fixaient règles et limites. Il y avait une mère qui était à la cuisine et un père qui allait travailler, des grands-parents qui nous gâtaient et un ordre clair duquel les plus rebelles tentaient de se libérer. Dans ces règles, la sexualité était interdite, on en parlait à mots couverts ; pour la vivre, on devait migrer hors des murs familiaux. L'adolescence était un passage évolutif qui nous conduisait à exprimer toute notre colère contre cette infranchissable rigidité, pour accéder à notre désir. Il existait un marché du travail qui, avec un peu de chance et d'effort, tôt ou tard nous reconnaissait et nous donnait une certaine valeur. Dans cet ordre apparemment clair, nous avons grandi, nous nous sommes mariés, construisant à notre tour des familles qui en grande partie se sont démolies.

Où était l'erreur ?

On a découvert que, dans l'intimité, il y avait des souffrances tues qui pouvaient venir aussi de la vie passée. Alors l'individu, dès qu'il est un nouveauné, est devenu objet d'intérêt. Le respect de la personne s'est amplifié, peut-être au détriment de celui de la collectivité. Dans une famille où « l'éthique » était la référence, on est passé à une « affectivité », davantage orientée à transmettre l'amour que règles et principes. La réaction a été de se jeter dans un abstentionnisme éducatif, décevant les attentes plus profondes des enfants qui ne demandaient rien d'autre que d'avoir une réponse ferme et un filet de protection quand ils atteignaient des limites dangereuses. Le bien-être économique a été confondu avec le bien-être existentiel, l'identité avec l'égocentrisme. La fragilité de la famille divisée a ébranlé nos enfants, désolés et contraints de devenir des comptables d'affects, se demandant quels jours et combien de temps aimer l'un ou l'autre parent. Ils se sont trouvés être les soutiens de pères ou de mères perdus qui les prenaient pour substituts affectifs, les confondant avec un partenaire amoureux très souvent diabolisé. Si pour nous, un œil familier avait suivi nos premiers pas, eux ont dû lâcher trop vite la main maternelle pour se retrouver expédiés toujours plus précocement dans des crèches aux horaires extensibles, transformant leur errance inquiète en besoin de socialisation.

Comme toujours, nous n'avons pas voulu faire subir à nos enfants ce qui nous avait été insupportable, oubliant que la base de la sécurité dans les premières années est un dénominateur commun pour l'humanité entière. Nous avons transformé l'oppression en acharnement à la liberté, mettant l'enfant dans la toute-puissance.

Hors de la famille, nos enfants sont moins armés pour affronter le monde extérieur qui devient toujours plus complexe et étranger. Dans une époque de parcellisation et de précarisation, la maison familiale est la référence la plus importante, elle témoigne d'une histoire, on y respire une odeur, une présence, une affection. C'est une des raisons pour lesquelles ils ne veulent pas s'en aller, par peur de l'inconnu. Et comment leur donner complètement tort ?

Une de mes amies, au moment de la séparation d'avec son mari, a demandé à ses jumeaux de vingt-trois ans avec qui ils voudraient rester. La réponse a été lapidaire : « Nous irons avec celui qui gardera la maison. »

Paradoxalement nous avons moins d'importance. Comme nous sommes toujours condamnés à la culpabilité par une partie de nous-mêmes, nous acceptons leur tyrannie que nous devrions une fois pour toutes refuser. Eux, la culpabilité, ils semblent l'ignorer.

Je me demande combien de temps encore je devrai payer pour ma propre histoire. Au moins, grâce à elle, je réussis à faire les comptes.

Récupérer

Le feu dans la cheminée parisienne me réchauffe et je me sens bien. Dans cette ville cartésienne où je travaille et qui m'a toujours bien accueillie, je trouve le calme nécessaire pour récupérer des forces.

Elle m'appelle au téléphone depuis Venise, je la sens tranquille et je perçois dans sa voix une sérénité retrouvée. Elle me parle d'un travail pour la fin de la semaine, de l'examen qu'elle est en train de préparer, d'un risotto fait à la maison pour des amis, et je souris en pensant qu'elle commence à investir de bonnes choses justement dans le lieu qu'elle a tant déprécié.

Le fil se renoue ; peut-être y avait-il besoin de cette forte secousse, de vider son sac pour se retrouver ? Maintenant qu'elle me sent disponible, j'ai l'impression qu'elle est satisfaite et que ça lui suffit. Elle m'écoute quand je lui parle d'autonomie, je lui énumère les priorités, je dis des choses qu'elle sait déjà, mais étrangement elle ne m'arrête pas et reste silencieuse.

S'il y avait son père à côté de moi, ce serait sûrement plus facile pour nous tous. Demain elle comprendra peut-être la solitude et la difficulté d'un parent qui a dû jouer un double rôle : travailler à la réalisation de projets novateurs qui demandaient une disponibilité excessive, tant matérielle qu'intellectuelle, sortir de la tradition familiale et en assumer les conséquences. Cela, aujourd'hui, elle ne peut pas le comprendre et j'ai dans les oreilles les paroles de ma mère qui me disait : « Tu comprendras une fois mère. » J'ai tout compris, *cara mamma*, et même encore plus.

Je me demande si les pères ont les mêmes préoccupations et réussissent à saisir l'occasion des transformations que les enfants nous servent sur un plateau d'argent empoisonné. Je regarde le feu et je m'arrête de penser. La chaleur me ramène à ce que ces derniers temps j'ai laissé un peu de côté : les mains d'un homme sur mes hanches, la possibilité de me détendre, de me laisser aller.

Retour à Venise

Combien de fois ai-je fait cette route, la nuit et le jour, très souvent avec le poids de la solitude ? Je traîne ma valise par les *calli*[1] humides et je me sens étrangère à la beauté qui m'entoure. À mon arrivée, je trouve des fleurs dans les vases et un bar en croûte de sel qui cuit dans le four. Pour une fois je me sens bien accueillie, il y a si longtemps que cela n'était pas arrivé. C'est trop beau pour être vrai. Le vin blanc glacé et le croquant des pommes de terre m'euphorisent et écartent un peu ma suspicion.

Je la trouve calme et organisée, bien différente de celle que j'ai laissée, il y a deux semaines. Elle me parle de son désir de trouver un lieu à louer

---

1. Ruelles.

avec des amis, elle a compris que le rêve de la maison familiale était une utopie et ne menait à rien. Je la regarde attentivement et je me rends compte qu'elle est en train de tenir un discours sage et parfaitement logique mais je reste perplexe. Elle a trouvé un travail, un cours de natation, s'est inscrite à un examen et semble tout à fait satisfaite. Derrière ce calme, je sens un piège, ou bien est-ce mon fantasme ? Cette gymnastique mentale me fait tourner la tête.

Le lendemain elle me téléphone en me disant qu'elle dîne dehors. Je me mets en colère et lui demande de rester à la maison. Elle me fait comprendre que mon rôle en quelque sorte est terminé, maintenant elle n'a plus besoin de moi et peut s'envoler.

Je reste sombre pendant deux jours, au chômage et un peu inutile. Je ne réussis pas à retrouver mes repères. Je tourne sur moi-même, je me focalise sur mon petit appartement et je passe en revue toutes les choses qui ne fonctionnent pas depuis longtemps.

En peu de temps, j'arrive à trouver électricien et plombier, perles rares dans cette ville bâtie sur l'eau. Je me répare et réinvestis un lieu que j'avais délaissé. J'achète des fleurs et je transforme cette peine en quelque chose qui me rattache à la vie.

Vin glacé et rosiers en fleurs

Son désir de partir est peut-être un bien, mais cette fois je veux tester la solidité de son enthousiasme, et ne pas être seule. J'invite son père, après les mois de cette guerre froide qu'il m'a déclarée, car j'aimerais qu'elle ait des parents solidaires dans ce moment important. Je ne peux pas oublier que derrière tout cela il y a des années de souffrance, voilées par la drogue. Je suis devenue très protectrice, je m'en rends compte, mais j'ai le sentiment qu'elle n'est pas encore prête, c'est un sentiment maternel et il n'y a rien à faire.

J'ai préparé avec soin une table de fête et ils se sont laissé dorloter par mes attentions, nous en avions besoin tous les trois, parfois c'est si simple et nous nous perdons en batailles inutiles.

Vin glacé et rosiers en fleurs

Avec un verre de *prosecco* glacé, regardant l'église de la Salute et les rosiers en fleurs, je me dis que céder le pas est juste, et pour la première fois, il me semble me sentir à ma place.

Elle montre à son père les photos de la maison des Pouilles, c'est une victoire intime, l'inviter à venir nous y retrouver, une conséquence naturelle. L'harmonie de ses parents est ce qu'elle veut maintenant qu'elle prend son envol, armée d'un bagage affectif différent des fois précédentes.

Nous nous sommes dit au revoir avec un sourire caché par une pudeur qui m'a fait refermer la porte avec un sentiment d'union retrouvée, de bonheur d'avoir construit un moment de paix.

Envie de danser

J'ai envie de danser, de rire.

Cette nuit, en rêve, je gagne le prix de la Biennale des jeunes artistes. On me fait voir l'affiche pour l'exposition, et c'est mon tableau qui est représenté. Il est abstrait, avec des couleurs obscures, noir, marron, violet et une pointe de rose. J'entrevois la représentation d'un moment triste et lourd, mais aussi d'une timide clarté qui apparaît.

Je me sens fraîche comme une enfant dans cette journée que je passe seule à jouer avec des pinceaux. Naturellement je ne réussis pas à reproduire le tableau du rêve, mais je suis surprise de voir que je représente une toile d'araignée qui lentement s'élargit. En effet, je sens émerger une autre partie de moi-même, une légèreté qui remet en fonction la créativité oubliée. Je mets un disque et je saute comme un grillon dans la maison.

Ma fille entre et me regarde en riant. L'après-midi continue ainsi, moi qui danse comme une folle au son de la musique, elle qui travaille calmement sur la terrasse.

Le sexe des anges

Je la vois entrer dans la cuisine, sans tendresse, et je perçois une hâte qui ne laisse pas le regard se poser dans les yeux de l'autre. Elle n'a pas apprécié que je l'aie réveillée pour le petit déjeuner, elle mange rapidement, dans un silence fermé et hostile. Je ne sais quoi lui dire, toute parole serait de trop. Je range les assiettes que je retire du lave-vaisselle et elle semble apprécier ce mutisme salvateur au point de mettre les verres à leur place, cela me semble un début de gentillesse pour quelqu'un qui n'appuie même pas sur le bouton de mise en route.

Elle ne s'arrête pas dans l'escalier pour me dire au revoir ; j'ouvre la fenêtre pour saisir sa svelte silhouette et la garder à l'esprit toute la journée. À sa démarche, je saurai si elle est triste ou si c'est seulement un nuage passager. Je connais ses humeurs à la façon dont elle bouge son corps. Je la vois sortir avec un garçon, ils marchent enlacés.

Elle a un geste attentionné en lui abaissant le col de son polo.

Qui est ce garçon ?

Il est évident qu'il a dormi avec elle et je suis interdite. En lui je reconnais la banalité de l'habillement d'aujourd'hui : jeans au ras du sol, sweater noué au bas des hanches, polo avec le col relevé, petite veste étriquée, basquets et lunettes de soleil type Vespa, cheveux en pétard pommadés de gel. Je cherche avec fébrilité une trace qui le distinguerait, peut-être dans la démarche, dans la façon de se tourner vers elle, mais au contraire, avec un geste d'habitué, il prend son paquet de cigarettes et s'en allume une.

Je me dis : « Mais qui suis-je pour juger ? »

Ma réponse est immédiate : « Sa mère. »

Que dois-je faire maintenant que je les ai vus ? Lui en parler ou faire semblant de rien ? Pour me faire encore plus mal, je grimpe jusqu'à sa chambre, sous les toits, mais je n'ai pas le courage d'ouvrir la porte. Ce serait violer une intimité qui ne m'appartient pas. Je tourne les talons et je descends l'escalier. Je plonge mon nez dans les roses à peine ouvertes et je pousse trois grands soupirs.

Roses et épines

Un dimanche matin, seule, tranquille, mais avec un poids sur le cœur.

La situation à la maison n'est pas encore complètement sereine. Qu'il est dur de maintenir une règle de cohabitation avec un minimum de respect pour les horaires. Je la vois qui s'égare encore et je ne veux pas la laisser faire. Je me sens obligée d'être cette mère autoritaire et exigeante car je sais qu'elle a besoin de cela pour se structurer intérieurement. Je l'appelle pour qu'elle vienne étudier. Je frappe plusieurs fois à sa porte, personne ne répond.

Elle n'a pas dormi à la maison.

Je ne réussis pas à supporter cette situation et je sors boire un cappuccino réparateur comme s'il y avait là l'espérance d'un meilleur réveil. En claquant la porte, je décide qu'aujourd'hui je ferai le changement des vêtements de saison dans mon placard. Mais est-ce que ça changera quelque chose ?

À peine arrivée à la dernière marche d'un pont, je la rencontre pâle et défaite. Il est évident qu'elle a dormi peu et mal, et qu'elle est au milieu d'un drame affectif. Combien de fois l'ai-je vue ainsi abattue ? Ne peut-il y avoir un moment de joie durable ? Dans quelle maléfique répétition s'est-elle empêtrée ? Je la prends dans mes bras et je ne dis rien. Toute la colère de ce matin est balayée et un silence prudent subsiste. Je la sens petite et fragile et cela m'attendrit.

Nous nous séparons et je rejoins l'amie qui m'attend au café. Le climat est suffocant, pas un souffle d'air. Mon amie prétend que je suis bloquée dans un rôle de mère qui veut donner des règles sans accorder sa confiance. Elle est agressive et distante, sans empathie, peut-être parce qu'elle n'a pas d'enfant. Elle pontifie sur de grands principes et sa violence m'énerve. Pourquoi tant de colère envers moi ? J'écoute, mais ne relève pas, elle a en elle un besoin de se défouler, et je ne suis absolument pas d'accord. J'ai mis dans ma fille toute la confiance du monde, même dans les lambeaux d'espoir qu'elle me donnait, mais je sais aussi qu'en ce moment, elle a besoin de règles et qu'elle est en train de toutes les bousculer. Mais absolument toutes.

Talons aiguilles

Sandales de velours noir et talons aiguilles. Une bande de velours qui entoure la cheville bien faite et s'enroule comme un lierre sur ses jambes qui expriment une ténacité dont elle n'a pas encore connaissance. Je la regarde en partant du bas, et lentement mes yeux, comme un scanner, parcourent toute la silhouette jusqu'à rencontrer les siens. Dans son regard, je devine une hésitation, la recherche d'une confirmation, la peur d'une critique. Je reste muette, choquée sûrement par cette excentricité qui m'inquiète. Je sens un jugement qui cache une peur me monter à la gorge, mais je le ravale comme si de rien n'était. Devant moi il y a une femme et je me sens en terrain inconnu. En général ce sont les filles qui s'identifient aux mères, ici c'est le contraire.

Sa féminité si arrogante me renvoie à la mienne que je ne réussis plus à percevoir.

Je traîne mon malaise dans une étouffante soirée de début d'été et j'ai du mal à marcher.

Je vois en arrière-plan, comme dans une galerie de tableaux, ma mère, elle et moi, trois générations qui se rencontrent et se confondent dans un jeu de miroirs. Dans cette sandale de femme, elle a réussi à chausser son histoire. La cheville, la jambe et même le choix de la chaussure me renvoient à ma mère, modèle pour elle de féminité et de coquetterie.

Dans ce passage, l'évincée c'est moi.

Cette vacuité qui persiste durant les jours suivants et que je n'arrive pas à décoder me perturbe. Elle s'en rend compte parce qu'elle m'évite et me laisse soigneusement seule avec mon mal-être, plongée dans un sentiment de vide existentiel et de solitude. Ma difficulté, c'est d'abandonner l'image connue, pour en introduire une autre, admettre un passage et sentir que ses yeux renferment d'autres perspectives.

Son devenir femme ne signifie pas que je ne le sois plus, je le sais et le problème n'est pas là. Elle n'est plus une petite fille et me contraint à chercher qui je suis.

Va-t'en mais reste encore

Je nettoie les roses et range les chaussures d'été, je remets de l'ordre comme toujours pour retrouver un ordre intérieur. Cette maison bénéficie des moments de crises aiguës.

Sevrage

Aujourd'hui, elle m'a donné l'occasion, par sa détresse, de l'allaiter à nouveau, de retrouver la jouissance et la souffrance de la dépendance précoce, je ne veux pas arrêter ce moment-là, sous le prétexte que je ne la sens pas prête. Et moi, le suis-je ?

Je me souviens parfaitement de sa dernière tétée, prévue à l'avance, l'ordre social reprenait le dessus et je m'y conformais sans résistance. C'était la veille de Noël. Je portais une robe de soirée de dentelle noire. Il y avait un contraste entre sa petite tête rose et ce tissu élégant mais lugubre qui lui effleurait le visage. Sans le savoir, j'avais pris le deuil de quelque chose qui ne devait plus jamais se reproduire en moi. Elle, au contraire, a pris mon sein avec une avidité particulière, une grande

volupté. Sa grand-mère paternelle qui était discrètement présente m'a dit : « Elle a tout compris. »

Et moi ? Est-ce que j'avais compris ? Sûrement pas, à en juger par ce que je vis maintenant,
encore attachée à la recherche d'un plaisir et d'une
tendresse trop tôt abandonnés.

Tolérance zéro

La maison est devenue un hôtel. Juste le temps de passer en courant, de déposer un sac de vêtements sales ou simplement chiffonnés, d'ouvrir le réfrigérateur la nuit, de se faire des masques et des bains interminables. Et j'en passe.

Je dois avoir fait la même chose à son âge. Je me souviens de mes petits déjeuners le dimanche à midi au milieu d'une marée de tortellini, d'artichauts rangés en file comme des petits soldats, de poules et viandes bouillies préparées pour le repas, de biscuits laissés à refroidir sur la plaque de marbre. Mon père me regardait de travers et je comprends aujourd'hui sa désapprobation, il ne disait rien mais je ne trouvais pas le moindre recoin pour poser ma tasse de café sur la table recouverte de tout ce qu'il avait déjà préparé de bon matin.

Son efficacité face à l'insouciance de la jeunesse. Deux façons opposées d'employer le temps.

Mais au moins j'étudiais.

Avec elle, je me sens à bout.

Elle ne se rend pas compte de l'effort qu'elle me fait endurer et qui suppose que j'accepte son copain, sa vie sexuelle, le fait que très souvent il vienne dormir dans sa chambre, son absence de travail car elle est continuellement en conflit avec lui, qu'elle n'a plus la moindre idée de l'heure à laquelle elle se couche ni de celle à laquelle elle se réveille. Injoignable sur son portable que nous lui avons donné pour justement pouvoir la contacter, imperméable à tout sentiment de culpabilité. Dans son jeu gentiment pervers, elle me demande une autonomie mais ne l'assume pas.

Il est évident que mon erreur est d'accepter. Ne devrais-je pas la mettre dehors avec un bon coup de pied dans son joli derrière ?

Changement de perspective

Il y a un spectacle de Pina Bausch à la Fenice de Venise ; mon ami est là en ce moment, j'ai pu avoir trois places et j'invite ma fille à venir voir une artiste qui l'avait émue lors d'une représentation à Paris. Nous avions réussi à entrer grâce à des billets que nous avaient donnés deux journalistes sortis au début du premier acte, une chance dans une foule de mendiants pour une place, occasion que j'ai saisie au vol sous ses yeux dédaigneux et outrés par mon attitude. Nous étions entrées dans le noir, au centre de la scène il y avait une haute pyramide de pétales de roses rouges, une vision intense qui nous avait profondément touchées et j'avais senti à son silence une transformation dans sa vision de la danse. Grâce à ce premier contact, cette fois je réussis à la convaincre facilement. Dans sa jeune vie, j'ai toujours cherché à l'emmener au théâtre, au prix d'efforts surhumains.

Petite, plus que pour les œuvres, elle venait, j'en suis sûre, pour les sandwichs de la Fenice qui étaient en effet délicieux, mais malgré et peut-être grâce à cela, j'ai réussi à lui donner une éducation musicale, la même que j'avais reçue de mes parents, espérant qu'un jour ou l'autre cette imprégnation ressortirait et la soutiendrait dans des moments difficiles. Quand le théâtre a brûlé, je l'ai même vue pleurer de rage et j'ai compris que quelque chose s'était passé.

Elle m'appelle avec gentillesse, c'est déjà un progrès, et me demande si je peux trouver un billet pour son petit ami. En ce moment, pourvu qu'elle s'ouvre à la vie, je ferais n'importe quel effort. Je réussis à me procurer le fameux billet, nous nous retrouvons pour la première fois tous les quatre devant le grand escalier de la Fenice.

C'est la présentation officielle de son ami, je le regarde, son sourire curieux et plein de malice réajuste l'image plutôt négative que je m'étais faite de lui en le voyant de ma fenêtre. C'est une première absolue et je comprends au ton de ma fille entre provocation et ironie qu'elle est émue. Moi aussi.

J'ai un frisson quand, en franchissant l'entrée,

je me retrouve à l'intérieur du théâtre parfaitement restauré et étincelant. Je remercie mentalement les architectes et les artisans qui ont laissé inaltérés les souvenirs et permis à tous ceux qui avaient aimé ce lieu de le retrouver avec la même fascination, comme si le temps ne s'était pas arrêté.

Nous sommes dans des loges différentes, de ma place, je l'observe, curieuse, en faisant bien attention qu'elle ne me voie pas. Je ne garde aucun souvenir du spectacle, seulement de ma stupeur de les voir s'embrasser avec une emphase qui m'a semblé exagérée. C'est la première fois que je la vois s'exprimer avec une sensualité évidente et l'exhibition de son intimité m'embarrasse et fait rire mon compagnon qui me sent un peu perdue.

À la fin d'un acte, je ne la vois plus et j'ai comme une épine dans le cœur, pensant qu'ils sont partis, je me sens lâchée. Mon ami s'est aperçu de ma désillusion, il me serre le bras, mais cela ne suffit pas à me réconforter.

Est-il possible qu'elle ne comprenne pas la beauté du spectacle, l'émotion d'une salle scintillante, le talent des artistes, le côté exceptionnel de cette soirée ? Est-elle aussi stupide et ignorante ?

À l'entracte, nous nous dirigeons vers le bar, j'ai envie d'un verre de *prosecco* glacé pour adoucir ma déception. Elle est là qui nous attend, son ami près d'elle, les yeux brillants d'émotion. « Nous avons changé de place, me dit-elle sereine, une ouvreuse charmante doit nous avoir vus tellement heureux qu'elle a ouvert une loge centrale pour nous, juste en dessous de la vôtre. » Le regard fixe et un peu sarcastique de mon ami me confirme qu'il serait peut-être temps que je cesse de me préoccuper d'elle une fois pour toutes.

Plus tard, sur un *campo* vénitien, sous un ciel plein d'étoiles, devant un risotto de poisson, nous fêtons une soirée qui restitue à chacun une sensation d'espoir.

Et le corps parle

Depuis un certain temps, j'ai des douleurs violentes qui me plient en deux. Cette fois je décide de m'écouter et je commence le pénible marathon des visites médicales chez les spécialistes.

Aucun médecin ne réussit à apporter une réponse exacte à mes maux, mais deux d'entre eux trouvent, chacun dans sa spécialité, quelque chose à retirer. Pour cela, j'ai subi des examens fastidieux qui ont mis en lumière mes cavités les plus secrètes et m'ont fait voir des choses inimaginables. En un mois, j'ai connu quatre hôpitaux, pris des décisions très urgentes, refoulé à coups de profondes expirations l'angoisse de mourir, serré fort la main de la personne qui a pris soin de moi avec amour avant de me laisser aller à l'oubli du sommeil.

J'ai été anesthésiée deux fois en moins de quinze jours et je n'ai pas dormi les nuits qui ont précédé les opérations. Je me suis réveillée heureuse de me retrouver vivante, contente d'avoir échappé à un risque plus grave et avec l'envie de fuir toute odeur de désinfectant pour respirer celle du jasmin. Je sens peser sur moi toute la fatigue d'une vie. Le corps accuse le coup, la tête encore droguée et douloureuse se lamente, le ventre reste sensible.

Et l'âme ?

Je voudrais en profiter pour réfléchir, mais le seul fait de le dire me fatigue. Je me rends compte que celle qu'il faut désintoxiquer, c'est moi ; je me suis accrochée à ma fille comme une pieuvre et la comparaison avec le sang d'encre que je me suis fait et qui a altéré ma santé ne m'échappe pas.

Entre les cloisons vert clair de ma chambre d'hôpital, je ferme les yeux, je laisse la vie couler et trouver un sens qui ne soit pas forcément le mien. Je prends l'avertissement au sérieux, je veux trouver une juste distance avec tout le monde, à commencer avec moi-même.

Je me laisse caresser par l'idée du Sud, du réveil le matin avec le soleil rose, de la fraîcheur intérieure pendant la sieste brûlante, du lever de la lune rousse à travers les oliviers, du blanc des coupoles des trulli pointées comme des seins vers les étoiles. J'éprouve le désir de toucher la terre rouge, de la glisser sous mes ongles et de m'acheter une brouette pour ramasser du bois et fortifier mes muscles que je ne reconnaît plus sous ma peau fatiguée.

J'ouvre les yeux et je vois son visage un peu anxieux qui me scrute, attentif. Elle est venue avec son ami et ils m'apportent des petits cadeaux affectueux. Parmi eux, une plaquette à fixer sur le tableau de bord de la voiture représentant saint Antoine et une inscription : « Va et reviens ». C'est on ne peut plus clair.

Ensemble en famille

La vie reprend plus sereine, cette épreuve nous a tous un peu réunis, nous avons enfin l'impression d'être une famille depuis qu'elle s'est autorisé une vie de couple dans laquelle elle est reconnue. Cependant les hauts et les bas de leur relation me font penser aux montagnes russes.

Je vois en elle une disponibilité différente, surtout envers mon ami. À dire vrai, cela ressemble à une alliance dans la façon dont ils se moquent de moi, de ma manie des horaires, des mains lavées, de l'ordre et du ménage.

Après trois jours d'absence où je les ai laissés seuls avec une amie invitée, j'ai un compte rendu de repas enfin détendu, pris sur la terrasse, où chacun, elle comprise, a fait des plats spéciaux dans une anarchie créative dont je ne me souviens pas avoir bénéficié en leur présence. Ce nouveau cadre familial, la présence stable d'un homme à la maison, tandis qu'auparavant il était souvent absent pour son travail, et l'ouverture à des amis la tranquillisent. Cette vie qui reprend me fait du bien, je suis envahie par une euphorie, comme si on m'enlevait dix ans de pesanteur, une joie de vivre que j'avais oubliée.

La minijupe

Dans cette période d'excitation, une minijupe en daim de ma fille me tombe entre les mains et je me l'approprie. En effet elle me va bien et, mise avec un tee-shirt noir, elle constitue un look que j'endosse jour après jour. Dans cette minijupe, je me sens belle et séduisante, sensation que cet uniforme semble me garantir.

Au début, elle approuve, parce qu'elle me fait toujours des critiques acerbes sur ma façon de m'habiller et qu'elle est contente de voir que sa mère ne ressemble pas à une vieille dame.

Mais après quelque temps elle commence à insister sur le fait que je pourrais aussi me changer et lui rendre sa jupe. Il est clair qu'elle se demande quel rôle je suis en train de jouer, et ce que signifie cet attachement à une image d'adolescente que je ne veux pas lâcher. Eh bien, je ne sais pas.

Je comprends que je me suis vraiment fixée à ces petits centimètres d'étoffe qui, comme par hasard, sont les siens, une espèce d'identification à son âge qui advient magiquement, seulement avec cette minijupe. Avec aucun autre de mes vêtements le miracle ne se produit. Elle commence à se moquer un peu de moi, je la laisse faire parce que je ne comprends pas pourquoi je ne peux pas montrer des jambes que jusque-là j'ai toujours ignorées. Je ne veux pas trop penser aux significations cachées, je sais parfaitement que je ne suis pas jalouse de sa jeunesse, bien au contraire, sa fraîcheur me donne envie de retrouver la mienne.

Lucidité

Elle est en train de changer, on le voit à son corps qui reprend un poids normal, les baskets laissent la place à des sandales légères, les jeans à des jupes de voile qui bougent au vent, soulignant une silhouette qui a retrouvé une certaine grâce.

Même ses propos ouvrent de nouvelles perspectives, elle analyse les situations avec la vivacité des temps passés. Comment oublier la perspicacité qu'elle avait déjà enfant, quand, à l'histoire de Blanche-Neige, elle préférait la description de cas cliniques pour lesquels elle avait toujours des observations tellement justes qu'elle me laissait sans voix ?

Je me souviens de ses petites mains prenant mon visage caché pour pleurer dans un moment de désespoir et me dire avec une tranquillité d'adulte que j'aurais dû sortir avec des amis plutôt que de rester seule à la maison enfermée dans ma peine. C'était l'époque de la séparation d'avec son père, nous avions changé toutes les deux de maison et de ville, plongées tout à coup dans le monde si particulier de Venise. Ce jour-là, j'étais restée dans la salle de bains avec une impression d'échec cuisante que je ne voulais pas lui communiquer. Et c'est elle qui m'a réconfortée.

J'ai la nostalgie d'un partage qui maintenant serait la marque d'un équilibre, alors qu'il s'agissait à ce moment-là d'une responsabilité démesurée pour la petite fille qu'elle était.

Joie et tourment

« Je vais arriver en retard, je n'ai pas de billet parce que ma carte de crédit ne fonctionne pas, tu peux venir me chercher et résoudre le problème ? » Bien. Elle arrive dans le Sud et les ennuis commencent. C'est ce que je pense pendant que je fonce en voiture pour aller la chercher à la gare. Je voudrais tant que ce soit une période agréable, mais j'ai des frissons et déjà je me demande pourquoi je suis en proie à cette agitation qui me fait rouler comme une folle et me tromper de route.

Elle ne m'a pas donné le bon horaire, j'arrive en retard et elle est déjà là, amaigrie, furieuse, me mettant sur le dos la frustration de l'attente. « Mais pourquoi tu n'es jamais là ? » J'ai travaillé toute la journée pour l'accueillir dans une chambre fraîche et parfumée, comment peut-elle s'arrêter au côté superficiel des choses ?

Tout le labeur d'aujourd'hui est annulé pour quelques minutes de retard, elle monte dans la voiture, énervée, sans daigner me regarder. J'ai préparé une chorégraphie de bougies allumées et d'échappées suggestives, mais elle est préoccupée par l'obscurité qui entoure la maison, par une campagne étrangère qu'elle perçoit comme hostile. Autre erreur de ma part, il aurait mieux valu allumer toutes les lumières et ne pas lui faire peur. En effet elle regarde tout autour et je vois monter l'angoisse dans son regard.

Est-il possible qu'elle ne comprenne pas l'effort fait ? Est-il possible que je n'aie pas anticipé ses peurs ?

Le temps s'installe à travers des rythmes scandés par la chaleur de la terre, je la vois au début distante, absente, avec des humeurs contrastées. Tout dépend du fait que son ami arrive ou non, elle semble incapable de vivre pour elle-même, de jouir de ce qu'il y a tout autour. Elle reste terrée dans sa chambre, à fumer nerveusement et regarder des DVD sans mettre le nez dehors.

Difficile d'avoir vingt ans ou un peu plus, d'être au milieu du gué et de fixer son nombril comme le centre du monde.

À la voir ainsi, elle paraît même stupide, un produit de la sous-culture d'aujourd'hui, avec des besoins superficiels et aucune réflexion. Elle se débat dans l'antique thème répété de ses amours : « Il m'aime un peu, beaucoup, passionnément... Pas du tout ? »

Elle se défoule sur moi en me provoquant au point de menacer de partir. Elle va jusqu'à simuler son départ, me laissant stupidement atterrée, avec l'idée d'avoir fait tout cela pour rien. Je dois arrêter de me sentir coupable de ses difficultés et de toujours rentrer dans son jeu. Qu'elle s'en aille et me laisse tranquille, je n'en peux vraiment plus.

Mon ami souffre de me voir encore si fragile, à regarder sa chambre vide, à observer l'enthousiasme de l'attente s'évanouir dans une bagarre absurde. Vivre avec elle est insupportable, c'est justement cela qu'à la fois elle provoque et en même temps redoute, l'inévitable abandon qui justifie et amplifie ses peurs.

Finalement son ami arrive, elle s'apaise et nous nous relaxons tous. Incroyablement, elle reprend vie, se réanime comme une plante qui a manqué d'eau, devient une organisatrice zélée, réussit même à être une excellente cuisinière et à recevoir royalement nos invités. Il me revient à l'esprit l'épisode du repassage. Quand elle est en accord avec elle-même, elle fait des merveilles.

Elle est contente de pouvoir exister non plus seule, non plus petite fille, mais avec un homme qui lui donne une assurance qu'elle n'a pas encore conquise. Tandis qu'ils dansent ensemble, je remarque qu'ils ont la même cadence, ils sont dans une synchronisation parfaite. Qu'arriverait-il s'il changeait de rythme ?

Game over

De retour à Venise, elle m'appelle, me parle d'un futur travail, d'un examen à préparer et d'un appartement trouvé en location. J'ai l'impression d'être une machine à sous et d'avoir aligné trois cœurs. Pour moi cela signifie indépendance et conscience des responsabilités.

Est-il possible que ce mois passé tous ensemble l'ait structurée à ce point ? Elle avait besoin de cela : une présence constante autour d'elle et la possibilité de partager sa vie affective en famille. Je repense aux moments où nous collions des étiquettes sur les bocaux de confiture et de conserve, je la revois écrire et faire de petits dessins d'enfant : l'origan avec une rangée de cyprès, le café avec un grand cœur rouge, le gros sel avec la lune. C'était un jeu tendre que nous avons partagé et qui nous a permis de trouver un peu de soulagement et une complicité féminine dans des gestes simples.

Je me souviens d'une promenade dans le bois pour ramasser les cartouches des chasseurs et puis en faire une guirlande lumineuse, de la préparation tous ensemble de repas et de bougies pour étonner les invités. Combien de fois durant ces deux années avons-nous été tentées de jeter l'éponge ?

Je pense à mes parents et au peu de souvenirs de partage qu'il me reste – peut-être que la mémoire amplifie la perte et oublie la présence –, à ma mère qui aurait énormément aimé ce lieu enchanté, à mon père qui aurait voulu jouir du coucher du soleil à la fin de sa vie. Il n'a pas pu le faire, et j'ai l'impression qu'une obscure volonté m'a poussée à réaliser un rêve. Le leur peut-être qui est devenu le mien. On n'est jamais seulement soi-même.

Notre père

Notre père qui êtes aux cieux.

Mon père qui n'est plus là.

Il n'y a pas eu de paroles entre nous durant la vie et il ne peut y en avoir aucune même maintenant. Surtout maintenant. Quand tu es parti, je n'ai pas pleuré. Je regardais la douleur des autres, je me sentais dépourvue de compassion et aride d'affects. Je ne suis jamais venue te voir dans ce simulacre froid de marbre, ta dernière demeure terrestre. J'ai oublié jusqu'à la date de ta mort et je n'avais jamais le temps d'assister à un rite à ton souvenir, mis en place par la famille. Je m'expliquais cette ataraxie sentimentale comme le résultat d'un malentendu entre nous, ton erreur pour évaluer mes capacités, une absence de paroles de valorisation. J'ai accumulé des reconnaissances extérieures, espérant qu'à travers elles tu m'aurais vue. Il suffit de si peu pour faire exister quelqu'un, parfois seulement comprendre sa difficulté de vivre. Peut-être pensais-tu que j'étais forte, et c'était en partie vrai, mais un regard bienveillant de ta part m'a beaucoup manqué. Tu t'en es allé sans que soient échangés les mots qui auraient fait de toi un père parfait et de moi une fille sereine.

Sur ton lit d'hôpital, j'ai trouvé une amie qui caressait ta joue sans vie. Je suis restée à l'écart, à regarder me faire voler cette ultime caresse que j'aurais tant désiré te donner, en surmontant cette trop grande pudeur qui nous a toujours séparés. Je me suis mise à distance, laissant faire les autres, me maintenant dans l'indifférence pour me défendre de ce que je n'arrivais pas à exprimer.

Je ne crois pas qu'il y ait un rite commun de la douleur, mais aujourd'hui j'éprouve le besoin d'en inventer un. Je regarde devant moi une petite chaise empaillée que j'ai ramassée au bord de la route. Peut-être est-elle comme celle dont tu rêvais pour te mettre dehors et regarder le coucher du soleil.

J'ai choisi cette terre rouge aussi pour réaliser ton désir. Je le garderai en moi, et très souvent je te le volerai pour en jouir. Je ne t'évoquerai pas par des rites étrangers à mon émotion. Est-ce cela ma dévotion, ma façon d'honorer ta mémoire ?

Tu ne m'as pas reconnue quand c'était le moment, je le fais moi, en incarnant ton désir, en le rendant possible jusqu'à chercher ici un sens à une douleur niée. Ton indépassable absence est une réalité de mon existence.

Merci, je peux te le dire avec amour et, puisque tu ne peux m'entendre, le son de ma voix me revient en écho comme une caresse.

À notre façon, nous nous sommes fait un compliment.

Mieux vaut tard que jamais, mon histoire change, et moi, je vais peut-être pouvoir donner à ma fille des réponses en temps voulu, justement parce qu'à nous, le temps nous a manqué.

Retour en arrière

Notre relation est une suite de fuites et de retrouvailles. Pour moi, le temps est précieux, je le vois à l'efficacité de mes gestes, au peu d'heures dédiées au sommeil, à la rapidité des projets qui aboutissent. Pour elle, au contraire, cela veut dire s'enfoncer dans le canapé, écouter une musique assourdissante, regarder un programme de télévision qui me semble débile. Ce qui pour moi est une perte de temps est pour elle un gain. Nous vivons dans une opposition spéculaire, mais cela paraît nécessaire. Ma présence exige son absence, mon ordre son désordre, nos rythmes ne s'accordent pas, mais se cognent brutalement l'un contre l'autre.

Il n'est pas question de perdre ou de gagner, mais plutôt de ne pas abandonner la partie. En ce moment, toute tendresse est annulée, je prends métaphoriquement des gifles et je ne réponds pas. De quoi ai-je peur ? D’exploser dans une colère destructrice avec le risque de l’éloigner pour toujours ? Je sens ma voix rauque, comprimée, dolente, et elle ne le supporte pas. Elle me demande, ennuyée, ce que j’ai, mais très vite ajoute que c’est son droit d’enfant d’être mal sans avoir à se préoccuper de moi. Je ne réussis pas à objecter quoi que ce soit à ce monstre d’égoïsme, et je pense que j’ai dû être aussi cruelle à son âge, certaine-ment pas avec mon père, par manque de confiance, mais avec ma mère que je rendais responsable de mon mal de vivre. Je ne comprenais pas que c’étaient mes difficultés et non pas elle qui m’em-pêchaient d’aller vers la liberté. J’avais moi aussi des envies et des craintes mêlées, mais quand la peur prenait le dessus, j’avais besoin de l’évacuer et de la décharger sur quelqu’un.

Elle, pendant des années, l’a contenue, la masquant avec des drogues dites douces, pour élu-der la pesanteur de la vie.

Ce que je vois maintenant, c’est une angoisse confuse qu’elle déverse sur moi, peut-être parce qu’elle est à nouveau seule, n’ayant pas réussi à préserver sa relation amoureuse, espérant au moins que je sois assez forte pour ne pas me laisser détruire.

Téléphone intime

Elle me demande de regarder un message sur son téléphone portable. Je cherche, et j'ouvre des messages d'un contenu incroyablement préoccupant. Sexe, drogue et rock'n'roll. Le ciel me tombe sur la tête, ce que je lis est tellement terrible que je ne réussis même pas à le mémoriser. Je ne comprends pas cette forme de communication, et je me demande pourquoi elle m'a mis entre les mains cette partie d'elle-même si intime et explosive. J'ai du mal à prendre conscience des mots, de la forme, des phrases et plus encore du sens. Je m'y oppose de façon violente. Je l'appelle et lui demande des explications. Elle me rassure : « C'est une façon de parler, il n'y a rien de vrai dans ce que tu as lu. » Je veux la croire, je dois la croire, je m'accroche à cette fausse vérité, espérant qu'elle cesse de se faire du mal.

Quand j'étais adolescente, ma mère a lu mon journal intime. J'avais écrit une phrase qui a dû provoquer en elle le même bouleversement que j'éprouve aujourd'hui : « Moi, à un homme, je veux tout donner. » Je me rappelle même la couleur verte de l'encre. Sa réaction a été tellement violente que j'ai été épouvantée par le choc que mes paroles avaient produit. J'étais en vacances à la mer avec une amie, heureuse et insouciante, et brutalement elle a interrompu le séjour, nous a fait rentrer à la maison, me menaçant de faire lire à mon père ce journal qu'elle avait confisqué. Elle m'a dit que j'étais une putain, ses paroles m'ont blessée à un tel point que mes règles ont duré un mois et demi. J'étais à mille lieues d'imaginer ses pensées tellement j'avais une vision romantique de l'amour. Je sentais grandir en moi la curiosité vers l'autre. Je n'avais encore rien découvert de la sexualité à laquelle, je l'ai compris plus tard, ma mère pensait ; je suis restée avec une étiquette qui ne collait pas avec mes émois.

De ce journal, nous n'avons plus jamais parlé, elle l'a gardé caché dans un endroit secret. Après sa mort, je l'ai même cherché comme on cherche l'arme du crime.

Années de terreur et de culpabilité à cause d'un malentendu, d'un refus de me regarder avec des yeux différents. Elle me renvoyait, en me salissant, la blessure douloureuse d'une femme trompée par son mari. C'est pour cela qu'aujourd'hui je demande des explications à ma fille, et je veux croire à sa réponse. Cependant, le sens de cette demande expresse de lire ses messages m'échappe.

Même si notre attitude face à la sexualité transparaît de mille façons, il n'est pas facile d'en parler avec nos enfants. J'ai toujours évité d'être intrusive, j'ai essayé de lui donner une image opposée de celle qui m'avait traumatisée. J'ai seulement peur que la sexualité devienne pour elle un processus destructeur, une arme puissante pour évacuer la rage qui est dans son cœur.

Ça recommence !

Les portes claquent, elle répond avec violence à mes questions, je reconnais la nervosité du temps des joints, ce n'est pas elle mais un animal traqué et furieux. Elle cherche encore à me provoquer. Je sens la violence monter en moi, l'exaspération de tous ces moments de disputes et de réconciliations.

J'ai consacré toute la journée à préparer le moment de son retour de voyage, ai invité un de ses amis et préparé avec soin un bon repas. Elle arrive folle de rage et je ne comprends pas pourquoi. Elle est restée une semaine avec son père et, comme à chaque fois quand elle revient, ce que nous avons construit ensemble se brise en mille morceaux. C'est cela la loyauté au père ? Haïr par personne interposée ?

Je ravale ma colère et ma consternation avec

le vin rouge, et quand elle m'a « cuite à point » comme la viande que j'ai dans mon assiette, je fonds en larmes et lui demande de nous permettre un dîner décent.

Elle attendait ou peut-être craignait mon éclat. Elle se lève et part en nous laissant seuls et amers. Je tiens bon, m'accrochant à la jeunesse de son ami, déplaçant sur lui mon affection, je soulage ainsi un peu ma douleur. Elle finit par revenir, et marque sa présence en allumant à fond la télévision dans le salon. Sa jalousie explose quand elle voit que son gâteau préféré a été englouti par son ami.

Et pourtant, de cette soirée pénible, il me reste l'image de ses ongles vernis de rouge. Elle me les a montrés comme une revendication de son corps, une évolution vécue durant la semaine passée avec son père. Après un moment de désarroi, j'ai été émue par ses petits pieds. Ils étaient au centre de nos retrouvailles quand elle était bébé, et même après ; les renifler, les mordiller faisait partie du rituel du soir, une façon de la faire rire aux éclats et de nous reconnaître. Ce jour-là, cette laque rouge a signifié une autre histoire, et je lui ai dit que la couleur me plaisait. Mais cela n'a pas été suffisant et elle est partie en claquant la porte, laissant sa valise ouverte. De la poche centrale dépassaient des dessins d'elle quand elle était petite, que nous avions retrouvés ensemble la semaine précédente. Sur le premier, il y avait un portrait avec une inscription : *Cara mamma ti voglio tanto bene*[1].

Justement.

Quand il y a tant de difficulté à se séparer, cela veut dire qu'il y a un lien très fort.

Est-ce moi qui ne veux pas la laisser partir ?

Mais même si c'est vraiment ce que je voudrais pour elle, la voir prendre son chemin avec ses mains potelées vernies de rouge brillant...

---

1. « Chère maman, je t'aime tant. »

La tyrannie des enfants

Souffle d'air marin sur mon visage en arrivant au Lido de Venise.

Je me souviens de l'époque où, avec mon père, j'allais rejoindre ma mère et mon frère nouveau-né qui séjournaient l'été dans une villa face à la mer. J'étais la grande, j'allais à l'école et, pour cette raison, j'avais le privilège de rester à la maison avec lui. J'ai encore présentes en moi l'odeur du cuir des sièges turquoise de son bateau, la vitesse poussée au maximum qui me faisait fermer les yeux et dilater les narines, me retourner et regarder le sillage d'écume blanche semblable à une robe de mariée, avec en toile de fond Venise qui devenait de plus en plus petite. J'étais une reine, mon prince à côté de moi, capable de me faire battre le cœur. Le passage de la lagune au canal d'entrée du Lido exigeait un changement brutal de vitesse et dans cette décélération s'est cristallisé un moment intense de mon enfance.

Le cœur chaviré, je humais l'odeur des fleurs blanches des pittosporums et celle, douceâtre, des lauriers-roses qui formaient un barrage avant le môle de l'hôtel aux coupoles orientales où l'on s'amarrait.

Et là je savais que le moment de magie était terminé.

Aujourd'hui, je prends le *vaporetto* qui s'arrête démocratiquement à chaque station et met un temps fou pour arriver. Mais ça ne fait rien, je réussis quand même, en inspirant profondément, à retrouver toutes ces odeurs.

Installée sur la plage, j'observe une petite fille de trois ans qui veut entrer dans l'eau. Sa maman l'attend un peu plus loin, lui tendant les bras, son papa est tranquillement allongé, plongé dans un livre. La petite fait deux pas vers sa mère qui l'incite avec un sourire à la suivre dans l'eau, mais elle se retourne, et voyant son père occupé, elle se met à pleurer en l'appelant. Elle veut y aller accompagnée de son papa. Il n'y a pas moyen de la faire changer d'avis, le sourire de la mère se fige, le père, alerté par les cris, pose son livre, se lève, cherche une petite bouée dans le sac de jouets, et s'apprête à la rejoindre. Quand il arrive à côté d'elle, la petite peste change d'idée et ne veut plus se baigner. À ce moment-là, la mère qui avait encore les bras tendus les rejette en arrière et, en deux brasses, s'éloigne pour souffler. Le père range les jouets et reprend son livre, mais la petite qui est restée au bord de l'eau pleure furieusement et se retourne vers sa mère en lui demandant pourquoi elle ne l'a pas attendue. Là, les bras m'en tombent et j'ai un mouvement de tendresse pour ces jeunes parents à la pensée de toutes les tyrannies qu'ils auront à supporter au fil des ans avant de prononcer un non sain et salvateur.

La famille idéale

En Toscane, il y a vingt ans, un lieu était visité par les Italiens plus que n'importe quel musée. C'était la ferme du *Mulino bianco* rendue célèbre par une fameuse marque de pâtes et de biscuits qui représentait, avec une habile et combien maléfique mise en scène publicitaire, le mythe de la famille idéale. Beaux et souriants, les membres de cette famille se rencontraient de bonne humeur au petit déjeuner. Tout le monde savait que c'était un montage cinématographique, mais puisque le lieu existait vraiment, il s'était créé une réelle curiosité à l'approcher comme s'il contenait la recette du bonheur et maintenait l'illusion.

De passage dans les environs pour voir une belle abbaye, j'ai pu observer une procession invraisemblable de familles, « normales » ou non, en pèlerinage à ce monument du bonheur. Comme s'il était plus facile d'intégrer l'image publicitaire et le message sous-jacent en touchant l'objet lui-même, dans un jeu de miroirs qui finit par convaincre.

Pendant une certaine période, au début de ma séparation, je me sentais tellement marginale vis-à-vis de la norme que je voulais faire un procès à cette marque coupable de discrimination et d'incitation à la tristesse pour tous les enfants qui étaient élevés par un seul parent. Je me sentais d'une race à part, je le percevais dans les yeux anxieux des femmes et ceux curieux des hommes quand ils m'invitaient chez eux. Il leur était plus facile de se fixer sur ma marginalité plutôt que de regarder leurs propres problèmes. Le pèlerinage de ces familles classiques face à ce faux-semblant de bonheur m'a fait penser qu'un doute, même inconscient, devait sûrement les habiter.

Peu après, heureusement, l'idée de famille classique en Italie s'est démantelée, faisant sauter définitivement la notion de norme. Et paradoxalement, maintenant que nous sommes à distance du mythe et que nous avons les mains libres pour créer la composition que nous voulons, nous sommes épouvantés, car dans cette nouvelle cuisine familiale, il n'y a plus de menu fixe, nous n'avons aucune recette à laquelle nous référer.

Les parents d'aujourd'hui, hétérosexuels, homosexuels, seuls, ne savent plus quoi faire, quelle écoute donner à leurs enfants. Est-ce que c'était mieux quand c'était pire ? Non, je ne veux pas le croire, mais il est évident que nous sommes tous à la recherche de ce qu'il faut faire pour éviter les ennuis sérieux.

Il ne serait jamais venu à l'idée de ma mère d'écrire un livre sur ses rapports avec ses enfants, même pas d'en lire un, alors que je suis là, à dresser un rapport de guerre.

Les enfants des autres

Les enfants des autres sont toujours des élèves excellents, ils travaillent très bien à l'école, à l'université, ils obtiennent leurs diplômes avec les meilleures notes et les félicitations. Ils trouvent des emplois prestigieux, gagnent bien leur vie, voyagent énormément et rencontrent des camarades intéressants. Ils ont des relations stables et vont toujours déjeuner le dimanche chez leurs parents. Ils sont affectueux et bien élevés et n'oublient jamais les anniversaires.

Les enfants des autres, en ce moment, ne ressemblent en rien à ma fille.

Quand les mères commencent à me les décrire, je reste muette, dans un silence contrit.

Ordre et récupération

Elle prépare son départ car désormais elle va habiter à Padoue, près de sa faculté. Pour calmer son anxiété, nous vérifions les médicaments qui seront la base de sa boîte de secours. C'est l'excuse pour jeter les produits périmés et récapituler les différents messages du corps durant ces deux années de feu. Pour elle, un nombre consistant de crèmes pour brûlures gynécologiques, pour moi, une série impressionnante de remèdes, toutes les herbes possibles pour être calme et dormir. Elle en attaque, moi en défense. Enfermées dans notre inquiétude, nous prenons de temps en temps la pilule de confort. J'en jette le plus possible, comme si la péremption d'un médicament marquait le stade de libération du symptôme et, d'une certaine façon, le salut. Nous

nous sentons un peu mieux, car il ne subsiste pas grand-chose.

Il reste au fond, derrière l'aspirine, une boîte de préservatifs. Je la saisis avec embarras, je demeure en suspens, pendant un moment bizarre, sans savoir que faire. Comment lui cacher que le seul fait de les avoir trouvés me perturbe ? Elle me regarde comme un brontosaure de l'ère secondaire, et je sens passer en cet instant toute la peur de la sexualité de ma mère et de ma grand-mère.

« Sois à la hauteur de la situation ! » Je me l'impose mentalement et, de fait, avec un air faussement naturel, je lui tends la boîte en lui disant que c'est la sienne et qu'il vaut mieux qu'elle la prenne. Le fait d'avoir parlé m'encourage et je sens venir sur mes lèvres un sourire complice que je ne me connais pas. Je fais même plus, car avoir transgressé les interdits du passé me donne une certaine ivresse : j'ouvre la boîte, je prends deux de ces choses que ma mère ne savait même pas nommer et je lui dis : « C'est pour moi, on ne sait jamais. »

On ne sait jamais ?

Là, j'ai fait le maximum, j'en suis convaincue.

J'entends les vieilles pensées rouillées raisonner dans ma tête et m'expliquer que des enfants, je ne peux plus en faire... Et tout de suite après, de nouvelles voix répliquent qu'il peut y avoir d'autres choses à découvrir.

Elle ne s'aperçoit de rien, j'en suis sûre, à des années-lumière de ma préhistoire, inconsciente de la révolution intérieure qui s'est produite dans ce geste simple et banal.

Je la remercie mentalement de me faire aller de l'avant, de briser des cloisons rugueuses et de me laisser entrevoir air et clarté.

Synchronisation

Je retourne dans le Sud pour travailler. Mon rêve serait de réunir, autour de moi, les personnes que j'aime, mais que puis-je faire quand ma fille presque en larmes me dit qu'elle a besoin de construire sa vie et de ne plus être encore dans la mienne ? Moi aussi, j'ai refusé avec la même violence les propositions de ma mère, et j'ai eu la même peur que sa pensée envahisse la mienne. Je comprends maintenant que mon désir de fuite n'a servi qu'à ralentir le processus de séparation et le rendre dramatique en raison de ce qui s'est passé après. Quand j'ai souhaité me rapprocher d'elle, parce que je me sentais autonome, elle a eu un accident auquel elle n'a pas survécu.

Un peu trop cruelle, la revanche du destin.

Mon portable sonne et produit un écho

étrange dans cette maison aux murs de pierre. C'est ma fille. Elle me raconte un rêve où elle recevait une lettre lui annonçant que dans une semaine, je mourrai d'un cancer. « Tu étais ma mère, mais tu étais comme une amie, au moment même où on commençait à s'entendre ! »

Je pensais à la mort de ma mère, et elle m'annonce la mienne. Nous sommes toutes les deux dans un parcours de séparation et tout semble être lié.

Tout à coup, je m'aperçois avec effroi que sa première crise de panique s'est déclenchée lors d'un départ de la maison et de sa ville natale, et au lieu même où sa grand-mère a perdu la vie. En effet, ma mère faisait le trajet inverse, de Bologne à Venise. Par distraction, elle est descendue du train à Padoue, elle a glissé, s'est heurtée violemment la tête et en est morte. Ma fille avait dix ans à l'époque. Trois mois plus tard, nous avons aussi perdu, moi, mon père, elle, son grand-père qu'elle considérait comme un mythe. Nous sommes restées seules, accrochées à notre chagrin. Ces chocs nous ont peut-être figées dans une séparation impossible.

Je lui réponds avec sérénité : « Sois tranquille, ma chérie, je ne vais pas mourir. » À travers cette phrase que je veux rassurante, je lui confirme que

Synchronisation

mon histoire ne sera pas la sienne, qu'on peut se rapprocher sans pour autant se perdre, se séparer pour pouvoir se retrouver. La répétition n'est pas obligatoire.

Départ

Elle a quitté Venise pour vivre à Padoue. Finalement, elle a trouvé une chambre avec une amie, dans un appartement d'étudiant. C'est mieux ainsi, en compagnie, elle pourra aménager sa solitude. Je crois que c'était le bon moment. J'ai préparé avec elle la valise d'un nouveau départ pour qu'elle sente un soutien et non une tristesse. J'ai fait le plein d'essence de la voiture qui a été celle de ma mère et que maintenant elle utilise. Dedans, elle se sent protégée, libre et sait que je n'ai pas peur pour elle.

Les jours suivants, j'ai été comme soulagée, j'ai enlevé les feuilles mortes de deux cyclamens, qui le lendemain ont donné des fleurs blanches et rouges, j'ai changé les ampoules grillées, j'ai commencé peut-être à soigner une blessure.

Peur et venin

Alors qu'elle est partie, son père me téléphone : « Ta fille est menteuse, alcoolisée et irrécupérable. » Je n'ai pu que l'écouter, sans dire une parole. Il s'est défoulé, m'a remerciée et laissée abasourdie dans un supermarché bondé.

Le scénario est toujours le même, un monologue sans possibilité de réplique. Il se décharge de sa préoccupation et raccroche. J'ai pris machinalement sur les étagères des petites pâtes à potage peut-être parce que j'avais besoin d'un peu de douceur après tant de violence.

Il n'était pas d'accord avec sa décision de quitter la maison. Je ne comprends pas pourquoi nous ne sommes jamais en harmonie dans les moments cruciaux, il est inutile de lui expliquer que ce n'est pas moi qui manœuvre pour aller contre sa parole.

Donc ma fille est une alcoolique !

Je ne sais pas pourquoi, mais cette accusation ne me touche pas. Je suis mon intuition qui va au-delà de la raison, et pour la seconde fois, je sens qu'il n'y a rien de si grave.

Je l'appelle pour comprendre, et je la sens solide quand elle m'explique ce qui s'est passé.

En effet, elle était dans une fête et avait perdu son portable. Pour le retrouver, elle avait essayé avec celui d'une amie de faire son numéro, mais par erreur, elle avait composé celui de son père. Quand il lui a répondu, elle n'a pas reconnu sa voix à cause de la musique, elle a cru qu'il s'agissait d'une personne de la fête. Cela a dû être une conversation un peu hallucinante du genre : « Je vous remercie infiniment d'avoir trouvé mon portable, dites-moi où vous êtes pour que je vienne le chercher. » De l'autre côté, une voix glacée : « Je suis ton père, tu ne me reconnais pas ? » Quand l'inconscient se met de la partie !

La grand-mère

Heureusement, j'ai gardé un lien très fort avec sa famille paternelle et plus particulièrement avec sa grand-mère. Elle a été une aide précieuse dans le partage émotionnel de ce que nous avons vécu durant ces années. Elle a constitué pour ma fille un port d'attache sûr, une disponibilité totale et pour moi un réconfort nécessaire, une alliance solide qui nous a fait pleurer et rire ensemble si souvent. J'ai souvent trouvée cette ressource inaltérable chez les femmes intelligentes dans les moments de difficulté.

Encore aujourd'hui, elle reste un phare, tenacement liée à la foi qui a toujours été pour elle un soutien, et à ses enfants dont je fais partie, et je me sens aimée comme telle.

Incertitudes

« Maman, j'ai mal au bras gauche, tu penses que ça peut être le cœur ? Je vais mourir ? »

Au téléphone, elle m'explique le dernier symptôme qui l'effraie après les soucis gynécologiques et respiratoires. Je cherche à dédramatiser.

Elle a toujours ce besoin de protection, comme s'il y avait encore cette crainte de respirer la vie et de s'ouvrir à l'amour. Elle maintient solidement son réseau d'aide : moi, sa grand-mère, sa tante pédiatre, l'amie gynécologue. L'une après l'autre, ses petites maladies se résolvent en quelques jours. Un sursaut de dépendance face à sa nouvelle liberté.

C'est sans doute un peu de ma faute car, petite, quand elle tombait malade, commençait toute une série de rituels que je mettais en œuvre pour la soigner. Tout d'abord un bain tiède pour faire tomber la fièvre et un massage délicat du dos, lingerie intime et pyjama fraîchement lavés, aération de la chambre et changement des draps. Je prenais des fleurs blanches et les mettais bien en vue dans une lumière que je voulais tamisée. J'apportais le même soin au repas et, selon le symptôme, c'était riz bouilli avec huile et citron, ou purée douce, fromage frais et pommes cuites qui répandaient leur parfum dans la maison. Elle était heureuse comme une reine d'être au centre de ces manœuvres, et finalement elle se sentait tellement bien qu'elle oubliait d'être malade.

Maintenant, elle sort le ventre à l'air, fume et boit pour vaincre sa timidité, rentrant chez elle fatiguée et encore fragile. Mais que puis-je faire sinon avoir confiance dans la bonne partie d'elle-même qui un jour ou l'autre émergera ?

Mon père, avant de mourir, m'a dit qu'elle était « le meilleur cheval que nous avions dans l'écurie ». Je me souviens que, pendant une fraction de seconde, j'ai eu mal et je me suis demandé dans quel recoin il m'avait oubliée, mais tout de suite après, je me suis enorgueillie de cette prédiction. C'était un homme clairvoyant, je m'obstine à penser que, tôt ou tard, il aura raison.

Transmission

On s'essouffle à s'enraciner pour répondre à la peur du vide, à vouloir construire pour confirmer notre identité, à gagner sa vie pour avoir son autonomie.

Plus que les choses matérielles, c'est une phrase, un geste, une odeur qui condensent le sens profond d'une personne.

Si on me demandait ce qu'il y a de plus important à transmettre à nos enfants, je répondrais ce qui m'a toujours accompagnée, même dans les périodes les plus sombres de ma vie : un inaltérable sens de l'espoir.

Au-delà de la haie

Je suis seule à cette heure matinale sur la place du village et je ne veux pas renoncer au rituel du café glacé fait avec maestria par Mimmo au bar central. En somme un délice que je veux savourer en ce dernier matin avant de retourner à Venise.

Ici, dans le Sud, le café est différent, il dépend de la mouture, de l'eau, des soins apportés aux filtres de la machine, de la pression exercée quand on le tasse et de la vitesse avec laquelle on arrête le tout au bon moment.

Des petites vieilles vêtues de noir sortent par des portes que je ne vois pas, comme des araignées pressées, elles passent devant moi sans me regarder, et filent directement à l'église.

L'écran de mon portable s'illumine et la lettre A apparaît.

A comme amour, comme première impulsion, rapide à cliquer.

C'est elle qui me demande quand je rentre, je lui réponds « demain » et lui propose de venir à Venise pour qu'on se voie.

— Mais j'ai du travail, maman. Viens, toi.

Silence.

— Allez, viens, tu verras ma nouvelle installation.

Silence dans lequel tout passe, ma volonté d'être reconnue comme la mère qui a droit au respect, sa détermination dans le fait d'être confirmée dans un passage évolutif. J'ai conscience que ce que je répondrai conditionnera nos relations futures.

Je prends mon inspiration et, dans un jaillissement inespéré d'intelligence, j'accepte avec enthousiasme sa proposition, je sens sur ma peau une légère euphorie, comme quand on saute d'un rocher à un autre, au-dessus d'un précipice.

Le lendemain, elle vient me chercher en voiture. Elle conduit vite et avec assurance, serrant le volant avec ses mains d'enfant et ses ongles vernis de femme. En prenant l'autoroute, j'ai l'impression de me rattacher à une histoire familiale. Elle a été tracée par mon grand-père et goudronnée par mon père qui nous disait toujours que, pour sauver deux pins maritimes, il l'avait légèrement incurvée ; je les vois en effet s'approcher, confortant ma mémoire.

La voiture de sa grand-mère, la route de son grand-père, c'est assez pour la rassurer, à moins que ce ne soit moi qui ai besoin de calmer une légère agitation.

Nous avons fait vite, elle veut arriver avant le coucher du soleil. L'appartement est grand et dépouillé, elle me montre la chambre qu'elle partage avec son amie, la cuisine, la salle de bains et pour finir son armoire que j'entrevois, parfaitement rangée. J'ai apporté des provisions du Sud et je me cramponne à mon grand sac car je ne sais pas où le poser.

Je ne suis pas habituée aux maisons partagées avec d'autres, à la parcellisation des espaces. Elle voit mon embarras et m'entraîne dans une cuisine propre et en ordre. Ce lieu simple et ouvert me plaît et je le lui dis. Je sais que c'est important de l'exprimer. Elle est satisfaite comme si elle avait réussi un examen.

Elle me prend par la main et veut me faire visiter la ville.

A-t-elle oublié que c'est là que j'ai fait mes études ?

La différence entre elle et moi, c'est que je n'ai pas pu y habiter, car mon père ne m'avait pas donné l'autorisation de partir. Écrasée par l'ambiance pesante, je me souviens être allée dans son bureau, ma valise à la main, pour chercher un appui, sa confiance. Au lieu de quoi, il m'a dit : « Si tu t'en vas, tu détruis une famille. » Comment pouvais-je soutenir une telle menace ? Je n'avais pas la force d'affronter une excommunication de ce genre, un chantage si lourd. Je suis retournée à la maison, affligée, me jetant à corps perdu dans les études, avec un cursus universitaire bouclé même en avance et la sensation **de** perdre quelque chose que je ne pourrais plus jamais retrouver.

Cette période d'insouciance m'a toujours manqué, j'ai cherché à la récupérer dans des époques successives, mais combien de douleur cela m'a-t-il coûtée ! « Chaque chose en son temps », disaient mes parents ; mais ils n'avaient pas compris que ce temps-là était le mien.

Souvent, nous voyons avec nos yeux et non avec la conscience des potentialités profondes de nos enfants. Mes parents se sont trompés avec moi, je l'ai fait moi aussi avec ma fille quand je l'ai laissée partir trop vite.

Tandis que je me laisse prendre par le bras et conduire à travers les petites rues étroites du centre historique, j'ai le sourire de la jeune fille de vingt ans que je n'ai pas été et qui peut voir maintenant un lieu qui ne lui avait pas appartenu.

Nous passons sur un pont ancien d'où surgit une étrange perspective. Le ciel se prépare à la nuit, la clarté de cette journée ensoleillée rend doré le contour des maisons.

Je me laisse transporter par son enthousiasme, je sens que se prépare un moment merveilleux et qu'elle veut me le transmettre. Combien de fois ai-je moi aussi ressenti la même excitation pour lui communiquer une chose qui m'avait touchée ? Elle accélère le pas, me dit de fermer les yeux et me demande si je suis prête. Non, je ne le suis pas encore, et je pense à la Butterfly de Puccini qui se cachait « *un po' per celia e un po' per non morire al primo incontro* [1] ».

Dans cette frénésie que je comprends, elle ne peut se rendre compte de ma joie de voir de nouveau ses yeux brillants et pleins de vie.

Mon cœur bat fort, je serre son bras et je me laisse guider.

« Ouvre les yeux maintenant. »

Nous sommes au milieu d'une place ronde, grandiose, entourée de palais de styles différents, une rue l'entoure et donne aux voitures l'impres-

---

1. « Un peu pour rire, un peu pour ne pas mourir à la première rencontre ».

189

sion d'être sur un manège géant et fantastique, à l'intérieur, un îlot relié à la chaussée par deux ponts surmontés de statues de personnages hiératiques, au centre, un plan d'eau qui reflète les contours roses des palais.

Une oasis de paix, le mouvement tout autour, et j'ai la sensation immédiate d'être vraiment au milieu de quelque chose d'essentiel.

Dans cette double protection, je sens ma tête tourner, je ferme les yeux pour savourer ce moment sublime.

Nourriture

À sa naissance, une infirmière touchant mon sein durci par la montée de lait m'a dit que si ma fille ne tétait pas bien, ce serait douloureux. J'ai toujours détesté les phrases péremptoires, surtout dans un moment de fragilité, parce qu'elles peuvent devenir des prédictions terribles qui pèsent sur toute une vie. J'ai alors décidé d'attendre le soir pour être seule et lucide. On m'a apporté mon bébé enveloppé dans un lange blanc et j'ai eu peur de ne pas supporter l'émotion. J'ai parlé à ce miracle que j'avais entre les mains. Elle m'a laissé le temps de me recomposer, mais je voyais bien qu'elle était en attente, les yeux et le nez pointés vers mon cœur. Je sentais qu'elle était intelligente et pouvait écouter. Je lui ai demandé de m'aider avec ce sein si étrange et nouveau pour moi, je ne voulais pas qu'une prédiction négative entre dans notre histoire. Elle m'a laissée parler, plantant ses yeux dans les miens, et nous sommes restées quelques instants sans bouger. Puis je l'ai approchée de mon sein dans un geste qui initie l'histoire du monde. Elle s'est agrippée à moi avec une avidité que je n'oublierai jamais, une ténacité pour la vie qui a dissous le nœud et liquéfié le marbre.

Aujourd'hui, c'est elle qui veut me nourrir. Elle me fait asseoir à une petite table, sur une place bondée d'étudiants, à l'heure de l'apéritif, elle veut me faire déguster des *tramezzini* chauds qu'on ne trouve qu'ici. Je me sens bien et en paix avec le monde, en paix avec elle surtout. Elle revient avec un plat chargé de ces délices et me regarde manger. Elle observe ma surprise et mon plaisir.

J'ai l'impression que le monde bascule, ce repas qu'elle m'offre est exquis, je me remplis la bouche et le cœur de ce bon lait donné avec amour.

Toujours plus vite

Elle reprend goût aux études et rattrape le temps perdu. Et pourtant, derrière la satisfaction de la réussite, il y a la frustration d'être dans un domaine où la dimension relationnelle est presque absente.

Les examens dans cette faculté de sciences humaines sont faits en grande partie de questionnaires à choix multiples. Une superficialité dont il ne restera pas grand-chose, peu de capacités d'élaboration dialectique et de recherche. Qu'est-ce qui donnera à ces étudiants les instruments nécessaires pour approfondir leurs connaissances, si ce n'est le dialogue avec les professeurs ?

Tout cela me semble absurde, et j'espère qu'elle pourra utiliser dans sa vie professionnelle ce savoir qu'elle a gardé depuis l'enfance pour comprendre les autres et aller au-delà des notions acquises.

Ici, me dit-elle, il n'est pas question d'être capable, mais plutôt d'être rapide.

Et alors, où est passé ce temps d'élaboration que nos grands-mères appelaient temps de cuisson ? A-t-il été oublié ?

Récupération

Se trouver dans un endroit à elle, proche de sa ville d'origine, la stabilise de plus en plus. Maintenant qu'elle se sent finalement bien et s'installe, il subsiste le risque qu'elle n'ait pas les notes suffisantes pour poursuivre sa formation dans sa spécialité.

Je la vois accélérer le rythme, se concentrer sur les examens qui lui manquent pour obtenir de bons résultats. La crainte de devoir abandonner une chose si difficilement conquise doit lui avoir fait trouver une énergie qu'elle n'avait encore jamais utilisée auparavant.

Finalement, les résultats positifs sont là et renforcent son estime d'elle-même, la créativité qui était masquée commence à se faire jour. Elle réussit à allier sa passion pour le cinéma à une sensibilité qui peut s'exprimer au service des autres. Pour un stage universitaire, elle propose de faire un film sur des patients psychiatriques et je l'observe se débrouiller seule dans un monde dont elle a toujours entendu parler, mais que maintenant elle connaît personnellement.

Le jour de la projection aux patients, elle me demande de venir ; j'apporte des cerises mûres récoltées dans le Sud, à partager avec eux. C'est une émotion de voir comment elle a réussi à monter ce film, le mettre en musique et lui donner un sens. J'étudie l'expression des protagonistes qui se voient à l'écran. Ils reconnaissent en elle le respect et le courage d'avoir su extraire de leurs discours confus un sens qui les rapproche d'eux-mêmes. Recevoir leurs remerciements a été, je crois, la plus belle des récompenses.

Quelques jours avant le colloque dans lequel elle devra présenter la vidéo aux professionnels, je glisse dans son sac le petit phoque Nina, souhaitant qu'il lui porte bonheur.

C'est son premier passage public comme étudiante proche du diplôme. Cette fois, elle se met en jeu dans une épreuve différente d'une relation écrite, à découvert, loin de toutes les phobies et de la panique des temps passés.

Récupération

Je suis sur une petite place arborée à Paris quand mon portable sonne.

« Tout a été très bien, maman, je n'ai eu que des félicitations, je suis trop heureuse, même Nina était contente, elle a sauté sur la table et a parlé dans tous les micros ! »

Ça y est ! Dans un soupir de soulagement, je me dis qu'elle a commencé son chemin.

Je l'écoute parler encore et encore, elle me décrit la scène dans les moindres détails, je veux tout savoir, je lui fais répéter les choses au moins trois fois. Et je me laisse enfin déborder par une vague de bonheur.

Éloge du quotidien

Lentement, elle se construit une certaine sérénité à travers ses études, la proximité de la famille, quelques amis et un nouvel amour qui est entré dans sa vie.

La ville qu'elle a choisie lui permet d'être indépendante mais elle ne s'y sent pas étrangère comme dans les précédentes, et je me rends compte, à travers elle, à quel point il est important de maintenir les liens avec le passé quand celui-ci ne fait plus peur. Au contraire, cela nous nourrit et nous rassure.

Tout en elle semble s'être modifié intérieurement, et quand, avec appréhension, elle me présente son petit ami, je comprends à son choix qu'elle a besoin de stabilité et d'ordre, mais aussi de simplicité et d'un regard clair et beau qui ne cache pas de mauvaises pensées. Elle a besoin d'avoir confiance et d'en donner, de construire sa vie sur des bases qu'autrefois elle détestait.

Je souris le jour où l'un de ses amis me raconte qu'elle s'était fâchée avec lui « parce qu'il n'avait pas encore un projet de vie sérieux ». Combien de fois m'a-t-elle envoyée au diable quand je lui proposais la même chose ?

Les paroles prononcées, les discussions sans fin, les affrontements féroces n'ont pas été inutiles. De tout cela est sorti quelque chose de bon, comme si on avait filtré la matière des affects, écumé les bouillonnements destructeurs pour récupérer enfin la fluidité de la vie.

Maintenant qu'elle va bien, elle fait des examens médicaux pour voir si rien n'a été touché dans son corps qui a été le témoin d'une âme en désordre. Elle est inquiète et moi aussi parce que je crains que son désespoir masqué par une attitude provocatrice et imprudente ne l'ait amenée à des comportements destructeurs. Heureusement, tout va bien, et nous le prenons comme l'annonce d'un nouveau départ, d'une réussite possible.

À elle maintenant de choisir les ingrédients de sa vie, et à moi de savourer de temps en temps une invention qui me laissera le goût de quelque chose de connu et de totalement nouveau.

Sans elle

Maintenant qu'elle est partie, je me retrouve face à moi-même. J'ai l'impression que les émotions que j'ai éprouvées avec elle m'ont éloignée de tout, comme si j'avais vécu une folie amoureuse qui aurait rendu le reste inintéressant. Il est vrai que presque rien ne m'émeut, sauf peut-être la nature. Je crois que c'est l'effet du bouleversement que sa difficulté a provoqué en moi, des violences qui renvoyaient aux violences passées. Mais pour une fois je n'ai pas fui et suis restée près d'elle, c'était inévitable parce que sa demande était de m'avoir tout à elle, au moins pour ce passage que la vie nous a donné.

Être dans cet état revenait pour moi à mettre la main dans le trou noir de l'oubli, à bousculer mes défenses et à me sentir aller vers ce qui me faisait le plus peur et que je fuyais. Je suis sortie de cet opprimant sentiment de culpabilité qui m'empêchait de lui donner des limites claires, l'autorisant à pousser la violence pour tester ma résistance. Son mal de vivre a débusqué le mien, parcellisé dans mon activité incessante. La voir perdue a activé ma peur de la perdre et mis en route ce comportement extrême et lucide qui est sorti du plus profond de moi. J'ai trouvé l'énergie et la fantaisie quand je croyais les avoir épuisées, vigilante au moindre mouvement, même à ceux que les autres ne voyaient pas — une résonance affective différente de celle qu'on peut avoir pour un homme parce que sans demande de retour, juste la nécessité de donner.

Le seul problème est la limite. Toute la difficulté est de créer des murs pour protéger du précipice. Avec moi elle a dû trouver des parois d'acier et de vent ; par sa colère, elles ont changé de consistance pour finalement la contenir et la calmer. Nous avons traversé ensemble des peurs d'abandon et d'asphyxie et l'une a fait découvrir à l'autre ce qui faisait le plus mal.

Mais nous avons aussi réussi à jouer.

Je ne crois pas qu'elle craigne encore d'être abandonnée ni moi d'être asphyxiée. Maintenant je suis comme un acteur sur la scène quand les

lumières sont éteintes, la salle vide, la pièce ache-
vée. Tout, autour de moi, semble avoir perdu
l'éclat et les teintes fortes de sa présence qui exigeait de moi d'être là et vigilante.

La maison

Je suis devenue maison, au sens le plus profond du terme, lieu de contenance, d'accueil et de protection. Je vis à l'intérieur de moi ce changement spatial des affects.

Maintenant qu'elle a pu s'en aller et que sa créativité est libre, nous pouvons nous parler sans nous faire mal. Ce retour en arrière a transformé notre histoire. Autrement, nous aurions erré à la recherche d'un manque, puisé chez les autres ou dans des actions diverses, réitérant un défaut d'unité et tombant dans le piège d'une dépendance toxique ou d'une recherche sans fin. Nous n'y serions pas arrivées sans avoir intégré sur un mode serein les liens primaires, celui de l'enfant au parent et du parent à l'enfant.

Je tourne le robinet pour arroser le potager

dans ce Sud asséché. Je me baisse pour cueillir les tomates, je fais pivoter ma main pour détacher la courgette de sa tige. Ce sont des gestes qui ne sont pas inscrits en moi et qui me deviennent chaque jour plus familiers. Sentir aussi que mon corps s'enfonce dans la terre rouge sous le poids que je transporte, que l'empreinte de mes pieds restera dans le sol jusqu'à la prochaine pluie.

Je passe des journées laborieuses et silencieuses à vivre cet espace qui, pour la première fois, correspond à mon espace intérieur. Accueillant et fertile comme je me sens moi. Et lentement, jour après jour, éliminant paroles et concepts, je reste à écouter le vent. C'est une paix nécessaire après tant d'efforts, c'est la même fatigue que l'on doit ressentir quand on accouche, cette lutte à deux, mère et enfant, dans une question de vie ou de mort.

Avant sa naissance, je craignais de ne pas être capable de supporter la douleur de l'accouchement, de lui faire mal, de ne pas pouvoir assumer ce passage. J'ai voulu être endormie pour la protéger de ma certitude inconsciente de ne pas être prête à devenir mère.

Aujourd'hui, l'avoir reprise en moi, et la laisser partir, entre douleur et joie, a rattrapé une expérience qui était restée suspendue et, comme dans les contes, en attente d'être vécue.

La maison

Chaque histoire est différente, mais toutes ont un dénominateur commun qui garantit l'évolution ou le blocage : la quantité de sécurité qui a pu être emmagasinée dans les premières années de la vie, ce sentiment de protection absolue que rien au monde ne peut détruire. Pour la donner il faut l'avoir reçue et pour l'avoir reçue il faut qu'elle ait été donnée dans une histoire infinie qui se lie au commencement du monde et élimine finalement la culpabilité.

La liberté qui nous est offerte est celle d'en être conscient. Avec la douleur des limites et l'espérance de transformer la matière du temps. Et chaque moment porte en lui la possibilité d'un changement. C'est à nous de ne pas le laisser s'enfuir.

Et maintenant

Aujourd'hui, tu es diplômée.

La matinée a commencé avec une aube rose et un froid vif dans une Venise qui se prépare pour Noël. J'ai choisi avec soin des vêtements pratiques, chauds et neutres, qui seront une enveloppe douce pour une journée que je prévoyais longue. Et elle l'a été.

J'ai vu l'angoisse s'emparer de toi, la peur ancienne resurgir avec les larmes dans tes yeux, la terreur de voir revenir le spectre de l'obstacle invincible et de ne pas y arriver.

Dans la foule composée d'étudiants et de leurs familles attendant de passer devant la commission, j'ai cherché à rester immobile dans un angle qui me contenait et où j'étais un refuge et une référence dans tes allers et retours nerveux.

Autour de toi, tes amis et nos parents proches parlaient entre eux, cherchant à ignorer la tension qui commençait à creuser sous tes yeux une ombre obscure ; à un certain moment, j'ai reconnu à la pâleur de ta peau la panique qui s'insinuait. J'ai retenu mon souffle, mais je ne craignais rien parce que je savais que le temps vécu à te perdre et à te retrouver avait créé une barrière protectrice et que tu ne pouvais pas tomber, que tu ne te ferais pas mal. Je savais que je devais rester immobile et attendre.

Des heures se sont écoulées, exténuantes pour toi mais utiles pour me donner le temps de me remémorer les souvenirs et me préparer à cet acte final.

Quand ils ont appelé ton nom, tu étais prête. Nous t'avons suivie et nous sommes assis dans l'amphithéâtre. Moi en première ligne, juste derrière toi, j'ai voulu que ta grand-mère soit près de moi et nous nous sommes serré la main très fort.

J'ai regardé tes jambes fines et tes mains qui gesticulaient, ta petite jupe courte, le pull noir qui te collait au corps, tes épaules bien droites.

J'ai pensé à toutes les fois où je les ai vues courbées par la peur de la vie et maintenant elles sont solides, prêtes à soutenir une idée.

J'ai vu ton professeur sourire discrètement de satisfaction et te poser une question difficile pour te mettre à l'épreuve. Il savait ce qu'il faisait parce que tu as bien répondu.

Quand nous sommes sortis pour attendre le résultat, tu as éclaté en sanglots et m'a embrassée, c'étaient les larmes d'une enfant heureuse qui peut enfin évacuer la tension après deux années tellement lourdes.

Ils t'ont rappelée pour les résultats et là j'ai eu peur de ne pas arriver à supporter une injustice, une note trop basse qui ne t'aurait pas permis d'accéder à la spécialité souhaitée dans cette ville, qu'après tant d'efforts tu avais finalement choisie, et t'aurait encore contrainte à émigrer. « Respire », me suis-je dit, mais je t'ai vue sûre devant la commission, dans une attitude décidée que je ne te connaissais pas. Moi, au contraire, je suis restée sur le seuil, laissant passer les autres comme si j'avais besoin d'une paroi humaine pour cacher un corps qui se préparait à un coup dur. J'ai regardé le président tandis qu'il énumérait tes notes d'examens durant ces années faites de ruptures et d'accélérations folles.

Une pause.

Pour arriver à ce que tu espérais, il te fallait

Et maintenant

le maximum de points pour la thèse que tu venais de présenter.

La solennité de l'attente ne permettait plus désormais de possibilité de fuite.

Finalement les notes.

Tu as eu le maximum. Ils t'ont donné tout ce qu'ils pouvaient.

Tu as reçu tout ce que tu méritais, ma petite fille blessée et guérie.

Félicitations.

*Ce volume a été composé
par Nord Compo
et achevé d'imprimer en avril 2007
par Bussière
à Saint-Amand-Montrond (Cher)
pour le compte des Éditions Hachette Littératures*

N° d'Édition : 94221/01. – N° d'Impression : 071394/4.
Dépôt légal : mai 2007.
Imprimé en France